KB086440

영재
사고력수학
필즈

킨더 상

CONTENTS

서문

이 책을 공부하게 될 친구들에게

저자는 영재교육원 관찰추천제를 대비하기 위한 「필즈수학」 시리즈를 출판하였고, 창의적 문제해결력을 기르고, 영재교육원 대비에 도움이 될 수 있도록 관찰추천제 가이드 북을 제시하였습니다.

「필즈수학」 시리즈는 수학에 대한 호기심이 있는 학생들이라면 도전해 보고 싶은 주제들로 구성되어 있고, 교재의 수준과 깊이에서 일정 수준 이상의 개념과 수학적 경험을 갖춘 학생들이라면 접근해 볼 수 있는 면이 있어 영재교육원을 준비하지 않더라도 상위권 학생들을 중심으로 꾸준한 사랑을 받고 있습니다.

이러한 이유로 많은 학생들과 학부모들이 기존 「필즈수학」 시리즈로 공부할 수 있는 학생들보다 좀 더 어린 학생들을 대상으로 하는 교재의 출판을 바라왔습니다. 이러한 요구를 반영해 수와 연산, 패턴, 도형, 측정, 문제 해결 방법 등을 주제로 하는 예비 초등학생과 초등 저학년 학생들을 위한 「필즈 킨더」 시리즈를 내놓게 되었습니다.

수학은 위계의 학문입니다. 하위 개념에 대한 정확한 이해 없이 상위 개념을 접하게 되면 언제든지 무너질 수 있는 학문이라는 뜻입니다. 이 문제는 유사 문항을 단순 반복하여 여러 번 풀어본다고 해결되지 않으며, 무의미한 반복과 과도한 학습량은 오히려 수학에 대한 흥미를 떨어뜨려 수학 공부에 방해가 될 수 있습니다. 또한, 수학적 사고력은 개념 ➡ 기본 ➡ 응용 ➡ 심화와 같이 선형적으로 발전하지도 않습니다. 스스로 부딪쳐서 해결하는 과정에서 개념을 더 완벽히 이해할 수 있고, 깊이 있는 문제를 접하며 논리적 도약을 이뤄낼 수 있을 때 수학적 사고력이 발전하는 것입니다. 수학은 많은 학부모들이 오해하듯이 '선천적 재능을 타고나야 잘할 수 있는 과목'이 아닙니다. 아이들에게 환경과 기회를 어떻게 제공했는지에 따라 아이들의 수학 실력은 달라질 수 있습니다.

「필즈 킨더」 시리즈는 예비 초등학생과 초등 저학년 학생들이 무엇을 가지고 어떻게 수학을 시작해야 하는지를 제시하고, 수학적 사고력을 길러 상위 개념으로, 다음 과정으로 진입할 수 있게 하는 마중물이 될 것입니다.

강신흥

이 책의 구성과 특징

유형 제시

어떤 문제를 공부하게 될까?

단원의 대표적인 사고력 문제 유형을 아이들의 대화를 통해 딱딱하지 않게 제시함으로써 학생들이 좀 더 재미있고 쉽게 이해할 수 있도록 도와줍니다.

대표 문제

문제를 어떻게 접근해야 할까?

문제 해결의 핵심을 알려줌으로써 어려워 보이는 문제를 편하게 접근할 수 있는 친절한 선생님의 역할을 합니다.

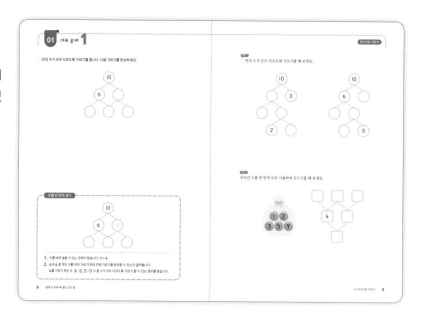

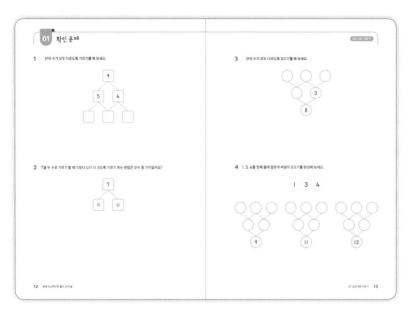

확인 문제

혼자서 해결하자!

유형 제시와 대표 문제에서 만난 문제들이 다양한 형태로 변형되어 나옵니다. 변형된 여러 문제들을 학생이 혼자 해결해봄으로써 해당 문제 유형의 이해를 높입니다.

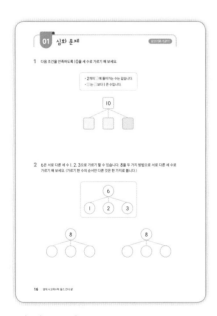

심화 문제

실력을 높이자!

기존 학습 문항들보다 난이도가 높은 문항에 도전하고 해결하는 과정에서 학생의 과제집착력을 기르고, 성취감을 맛볼 수 있게 합니다.

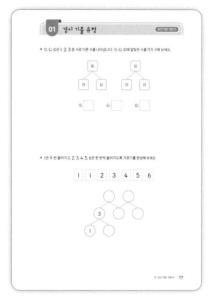

경시 기출 유형

도전!!

기존 경시대회 문제들과 유사한 형태의 문제를 해결하는 과정에서 다양한 각도에서 문제를 접근하고 수학적 해결 전략을 구사하는 능력을 향상시킵니다.

영재사고력수학 필즈 로드맵

예비 초등학생과
초등학교 저학년을 위한 **[필즈수학] 시리즈**

교재	예비 초등학생을 위한 **킨더**	초등학교 1학년을 위한 **베이직**	초등학교 2학년을 위한 **입문**
상	모으기와 가르기	고대의 수	마방진
	덧셈식과 뺄셈식	수와 숫자	조건에 맞는 수
	목표수 만들기	카드로 만든 수	복면산과 도형이 나타내는 수
	줄서기	수 퍼즐	곱셈구구
	모양 패턴	여러 가지 패턴	수열
	증감 패턴	이중패턴과 □번째 모양	수 배열의 규칙
	수 배열표	유비추론	도형 패턴
중	전체와 부분	색종이 접고 자르기	도형의 개수
	모양 겹치기	도형의 연결	도형 붙이기
	길이와 들이 비교	길이 비교	쌓기나무
	달력	무게 비교	잴 수 있는 길이
	선 잇기 퍼즐	포함 관계	간격과 개수
	이동 경로	님 게임	여러 가지 방법으로 해결하기
	가위바위보	동전과 성냥개비	재치있게 해결하기
하	□가 있는 식	성냥개비 연산	어떤 수 구하기1
	가로세로 수 퍼즐	홀수와 짝수	연속수의 합
	주고 받기	연산 퍼즐	수 만들기
	연산 규칙	약속 연산	어떤 수 구하기2
	속성	표와 그래프	길의 가짓수
	위치와 순서	가능성	리그와 토너먼트
	색칠하기	방법의 가짓수	논리 추론

초등학교 고학년을 위한 [필즈수학] 시리즈

교재	초등학교 3, 4학년을 위한 초급	초등학교 4, 5학년을 위한 중급	초등학교 5, 6학년을 위한 고급
상	연속수	대칭수	연속수의 성질
	숫자 카드	수와 숫자의 개수	수와 숫자의 합
	가장 큰 곱 만들기	연속수의 합으로 나타내기	배수판정법
	도형이 나타내는 수	포포즈	약수의 개수
	벌레 먹은 셈	크기가 같은 분수	끝수와 0의 개수
	숫자의 개수	복면산	수와 식 만들기
	마방진	여러 가지 마방진	진법 활용
	도형 붙이기	도형 나누기와 맞추기	타일 붙이기
	주사위	도형의 개수	직육면체
	거울에 비친 모양	점을 이어 만든 도형의 개수	입체도형
	원	정육면체	쌓기나무
	가로수와 통나무	나이	뉴튼산
	가정하여 풀기	포함과 배제	거꾸로 생각하기
	저울을 이용하여 풀기	나머지	작업 능률
	재치있게 풀기	속력	극단적으로 생각하기
하	쌓기나무	붙여 만든 도형의 둘레	단위넓이의 활용
	덮기와 넓이	달력	겹쳐진 부분의 넓이
	색종이 자르기와 접기	평행과 도형의 내각	도형의 둘레와 넓이
	눈금없는 길이와 무게	바닥깔기	등적 분활
	모래시계	접기와 각	삼각형을 이용한 각도 구하기
	도형 유추	시계와 각	고장난 시계
	패턴	규칙 찾아 도형의 개수 세기	피보나치 수열
	간단한 수열	교점과 영역의 개수	여러 가지 수열의 활용
	간단한 규칙 찾기	수의 배열의 규칙	복잡한 규칙
	규칙 찾아 간단하게 계산하기	약속	그래프 읽기
	리그와 토너먼트	지불할 수 없는 동전	색칠하기
	최단거리	무게가 다른 금화 찾기	여러 가지 경우의 수
	논리 추리	연역적 논리	입체에서의 최단거리
	한붓그리기	비둘기 집	홀수 짝수
	성냥개비	님 게임	참말족과 거짓말족

01

모으기와 가르기

모으기와 가르기

지호   예원

● **10**을 여러 가지 방법으로 가르기 해 보세요.

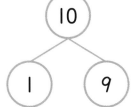

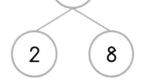

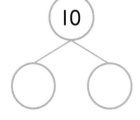

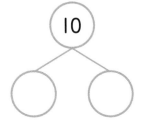

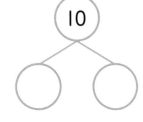

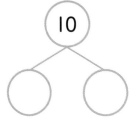

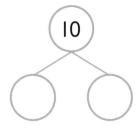

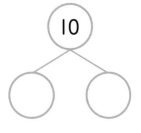

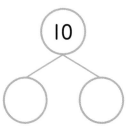

가르기 또는 모으기를 할 때
0으로는 가르기나 모으기를 하지 않아.

◯ 안의 수가 모두 다르도록 가르기를 합니다. 다음 가르기를 완성하세요.

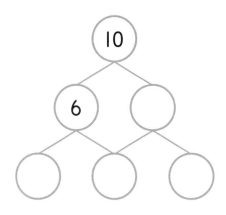

수를 한 번씩 넣기

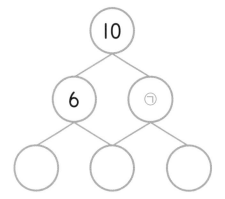

1. 수를 바로 넣을 수 있는 곳부터 찾습니다. ㉠ = 4

2. 6과 4 중 작은 수를 먼저 가르기 하여 전체 가르기를 완성할 수 있는지 알아봅니다.

   4를 가르기 하는 (1, 3), (2, 2), (3, 1) 중 수가 모두 다르도록 가르기 할 수 있는 경우를 찾습니다.

예제 1

◯ 안의 수가 모두 다르도록 가르기를 해 보세요.

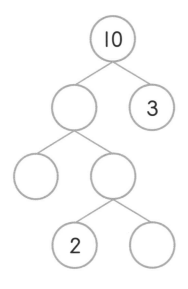
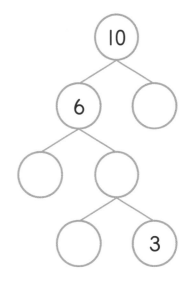

예제 2

주어진 수를 한 번씩 모두 사용하여 모으기를 해 보세요.

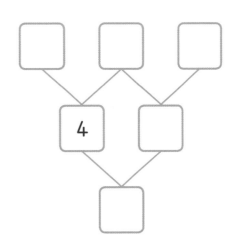

I, 3, 5를 가장 아래쪽 칸에 쓰고, 두 수를 모은 수를 위쪽 칸에 써넣어 수 피라미드를 만듭니다. 만들 수 있는 수 피라미드를 모두 만들고, 색칠된 칸에 올 수 있는 수를 모두 구해 보세요.

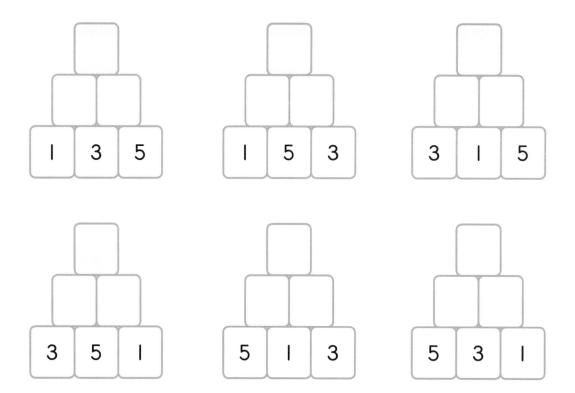

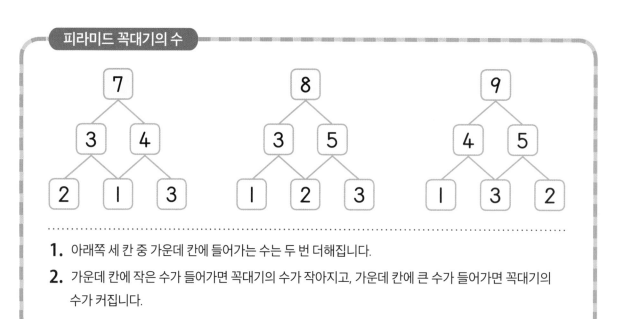

1. 아래쪽 세 칸 중 가운데 칸에 들어가는 수는 두 번 더해집니다.

2. 가운데 칸에 작은 수가 들어가면 꼭대기의 수가 작아지고, 가운데 칸에 큰 수가 들어가면 꼭대기의 수가 커집니다.

예제 1

1, 2, 4를 가장 아래쪽 칸에 써넣고, 두 수를 모은 수를 위쪽 칸에 써넣습니다. 색칠된 칸의 수가 가장 클 때와 가장 작을 때의 수 피라미드를 만들고, 가장 큰 수와 가장 작은 수를 구해 보세요.

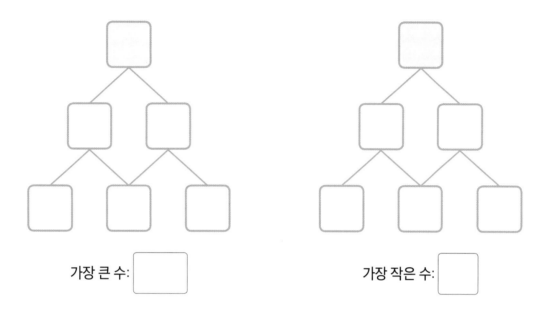

가장 큰 수: ☐

가장 작은 수: ☐

예제 2

첫째 줄에 **1, 2, 2**를 써넣고, 모으기를 합니다. 색칠된 칸의 수가 가장 작아지도록 모으기를 해 보세요.

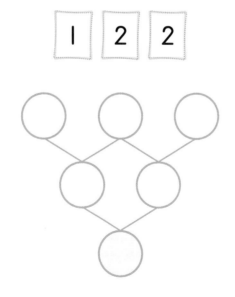

1 ☐ 안의 수가 모두 다르도록 가르기를 해 보세요.

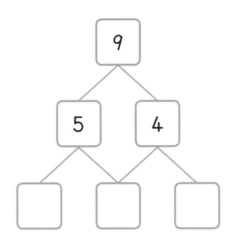

2 7을 두 수로 가르기 할 때 ㉠보다 ㉡이 더 크도록 가르기 하는 방법은 모두 몇 가지일까요?

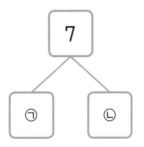

3 ◯ 안의 수가 모두 다르도록 모으기를 해 보세요.

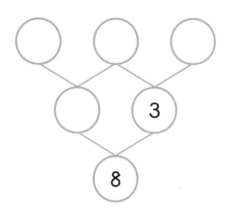

4 l, 3, 4를 첫째 줄에 알맞게 써넣어 모으기를 완성해 보세요.

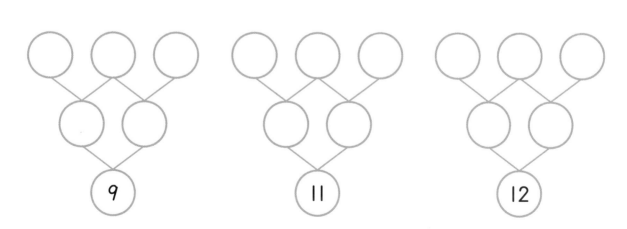

5 ☐ 안의 수가 모두 다르도록 가르기를 해 보세요.

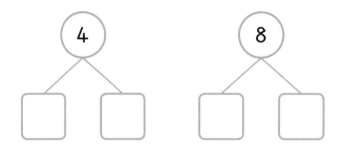

6 주어진 수 1, 2, 4를 가장 아래쪽 칸에 써넣고, 두 수를 모은 수를 위쪽 칸에 써넣어 수 피라미드를 만듭니다. 색칠된 칸에 가장 작은 수가 올 때 ㉠에 들어갈 수는 무엇일까요?

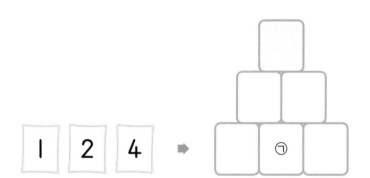

7 |부터 **9**까지의 수가 한 번씩 모두 들어가도록 가르기를 완성해 보세요.

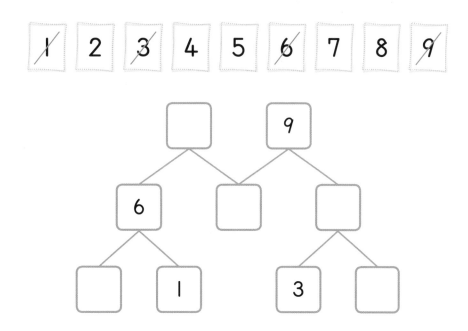

8 **2**, **3**, **4**를 가장 아래쪽 칸에 써넣고, 두 수를 모은 수를 위쪽 칸에 써넣어 수 피라미드를 만듭니다.
색칠된 칸의 수가 모두 다르도록 수 피라미드 **3**개를 만들어 보세요.

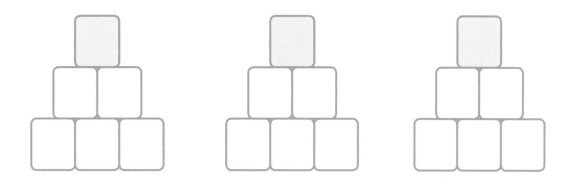

1 다음 조건을 만족하도록 10을 세 수로 가르기 해 보세요.

> • 2개의 ☐에 들어가는 수는 같습니다.
> • ☐는 ☐보다 1 큰 수입니다.

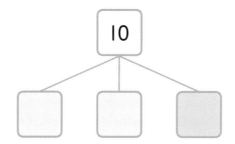

2 6은 서로 다른 세 수 1, 2, 3으로 가르기 할 수 있습니다. 8을 두 가지 방법으로 서로 다른 세 수로 가르기 해 보세요. (가르기 한 수의 순서만 다른 것은 한 가지로 봅니다.)

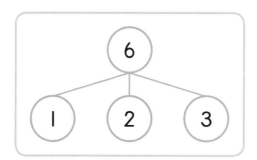

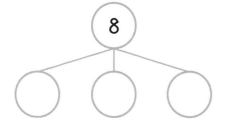 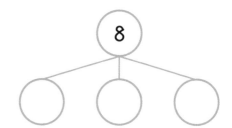

● ㉠, ㉡, ㉢은 1, 2, 3 중 서로 다른 수를 나타냅니다. ㉠, ㉡, ㉢에 알맞은 수를 각각 구해 보세요.

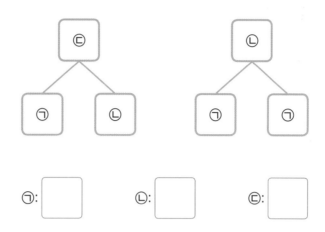

㉠: [ ]　　㉡: [ ]　　㉢: [ ]

● 1은 두 번 들어가고, 2, 3, 4, 5, 6은 한 번씩 들어가도록 가르기를 완성해 보세요.

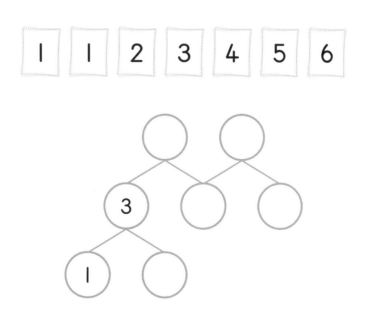

02

덧셈식과 뺄셈식

개념 02 덧셈식과 뺄셈식

지호   예원

> **Math storyteller**
>
> : 가로와 세로에 있는 수가 만나는 칸에 두 수의 합을 써넣은 표를 덧셈표라고 해.
>
> : 덧셈표는 오른쪽으로 갈수록 수가 1씩 커져. 더하는 수가 1 커지면 합도 1 커지지.
>
> : 맞아. 마찬가지로 아래쪽으로 가도 1씩 커져. 더해지는 수가 1 커져도 합이 1 커져.

● 다음 덧셈표를 보고 물음에 답하세요.

+	0	1	2	3	4	5	6	7	8	9
0	0	1	2	3	4	5	6	7	8	9
1	1	2	3	4	5	6	7	8	9	10
2	2	3	4	5	6	7	8	9	10	11
3	3	4	5	6	7	8	9	10	11	12
4	4	5	6	7	8	9	10	11	12	13
5	5	6	7	8	9	10	11	12	13	14
6	6	7	8	9	10	11	12	13	14	15
7	7	8	9	10	11	12	13	14	15	16
8	8	9	10	11	12	13	14	15	16	17
9	9	10	11	12	13	14	15	16	17	18

(1) 합이 3인 칸을 모두 색칠하고, 합이 3인 덧셈식을 모두 써 보세요.

☐ + ☐ = 3   ☐ + ☐ = 3

☐ + ☐ = 3   ☐ + ☐ = 3

(2) 덧셈표에서 합이 가장 큰 수와 합이 가장 작은 수를 각각 찾아보세요.

합이 가장 큰 수: ☐   합이 가장 작은 수: ☐

주어진 수 카드 중 2장을 사용하여 합이 7인 덧셈식을 모두 만들어 보세요.

| 0 | 1 | 2 | 3 | 4 | 5 | 6 | 7 |

$\square + \square = 7$ $\square + \square = 7$

$\square + \square = 7$ $\square + \square = 7$

$\square + \square = 7$ $\square + \square = 7$

$\square + \square = 7$ $\square + \square = 7$

합과 차가 같은 식

더해지는 수 → ← 더하는 수

합이 4인 덧셈식:
$$4 + 0 = 4$$
$$3 + 1 = 4$$
$$2 + 2 = 4$$
$$1 + 3 = 4$$
$$0 + 4 = 4$$

빼지는 수 → ← 빼는 수

차가 5인 뺄셈식:
$$5 - 0 = 5$$
$$6 - 1 = 5$$
$$7 - 2 = 5$$
$$8 - 3 = 5$$
$$9 - 4 = 5$$

1. 덧셈식에서 더해지는 수가 1씩 작아지고 더하는 수가 1씩 커지면 결과는 변하지 않습니다.

2. 뺄셈식에서 빼지는 수와 빼는 수가 모두 1씩 커지거나 작아지면 결과는 변하지 않습니다.

예제 1

0부터 9까지의 수를 사용하여 두 수의 차가 6인 뺄셈식을 모두 만들어 보세요.

| 0 1 2 3 4 5 6 7 8 9 |

$$\boxed{} - \boxed{} = 6 \qquad \boxed{} - \boxed{} = 6$$

$$\boxed{} - \boxed{} = 6 \qquad \boxed{} - \boxed{} = 6$$

예제 2

주어진 수 중 두 수를 사용하여 합이 9인 덧셈식을 만듭니다. 사용할 수 없는 수는 무엇일까요?

0 2
3 4 6
7 9

➡ $\boxed{} + \boxed{} = 9$

주어진 수 중 서로 다른 두 수를 사용하여 합이 가장 큰 식과 합이 가장 작은 식을 만들어 보세요.

$$2 \quad 3 \quad 4 \quad 5$$

합이 가장 큰 식: ☐ + ☐ = ☐

합이 가장 작은 식: ☐ + ☐ = ☐

합이 크고 작은 식, 차가 크고 작은 식

$$1 \quad 2 \quad 5 \quad 7$$

합이 가장 큰 식: 7 + 5 = 12 　　차가 가장 큰 식: ☐ − ☐ = ☐

합이 가장 작은 식: 1 + 2 = 3 　　차가 가장 작은 식: ☐ − ☐ = ☐

1. 서로 다른 두 수로 만들 수 있는 합이 가장 큰 식은 (가장 큰 수) + (두 번째 큰 수)이고,
합이 가장 작은 식은 (가장 작은 수) + (두 번째 작은 수)입니다.

2. 서로 다른 두 수로 만들 수 있는 차가 가장 큰 식은 (가장 큰 수) − (가장 작은 수)이고,
차가 가장 작은 식은 가장 가까운 두 수의 차입니다.

예제 1

주어진 수 카드 중 서로 다른 **2**장을 사용하여 차가 가장 큰 식과 차가 가장 작은 식을 만들어 보세요.

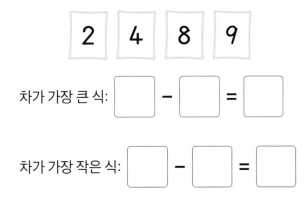

차가 가장 큰 식: ☐ – ☐ = ☐

차가 가장 작은 식: ☐ – ☐ = ☐

예제 2

주어진 수 중 서로 다른 세 수를 사용하여 계산 결과가 가장 큰 식을 만들어 보세요.

3 4 5 6

☐ + ☐ – ☐ = ☐

1 알맞은 두 수를 모두 찾아 선으로 이어 보세요.

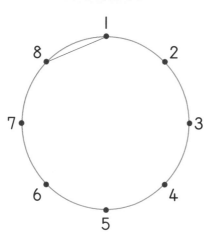

두 수의 합이 **9**

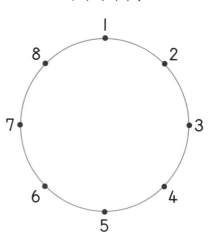

두 수의 차가 **4**

2 0부터 5까지의 수 중 두 수를 사용하여 덧셈식을 만듭니다. 합이 5인 덧셈식을 모두 만들어 보세요. 만들 수 있는 덧셈식은 모두 몇 개일까요?

0 ㅣ 2 3 4 5

☐ + ☐ = 5   ☐ + ☐ = 5

☐ + ☐ = 5   ☐ + ☐ = 5

☐ + ☐ = 5   ☐ + ☐ = 5

➡ 만들 수 있는 덧셈식: ☐ 개

3 주어진 수 카드 중에서 서로 다른 **2**장을 뽑아 합이 가장 큰 식과 합이 가장 작은 식을 만들어 보세요.

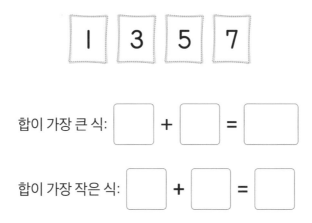

합이 가장 큰 식: ☐ + ☐ = ☐

합이 가장 작은 식: ☐ + ☐ = ☐

4 계산기를 사용하여 차가 가장 큰 식과 차가 가장 작은 식을 계산하려고 합니다. 노란색 수 버튼 중 서로 다른 **2**개를 사용하여 식을 만들어 보세요.

차가 가장 큰 식: ☐ – ☐ = ☐

차가 가장 작은 식: ☐ – ☐ = ☐

5 주어진 수 카드 중 서로 다른 **2**장을 사용하여 **10**에서 빼는 뺄셈식을 만듭니다. 사용할 수 <u>없는</u> 수 카드는 무엇일까요?

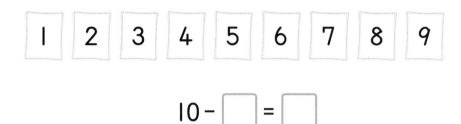

$$10 - \boxed{} = \boxed{}$$

6 주어진 수 카드 중 서로 다른 **2**장을 뽑아 두 수의 합 또는 차를 구합니다. 나올 수 있는 가장 작은 수와 가장 큰 수를 구해 보세요.

가장 작은 수: ☐   가장 큰 수: ☐

7 십의 자리 숫자가 ■, 일의 자리 숫자가 ▲인 두 자리 수 ■▲이 있습니다. ■+▲=6인 경우 중 가장 작은 두 자리 수 ■▲을 구해 보세요.

두 자리 수 ■▲ ➡ ■ + ▲ = 6

8 주어진 수와 +, −를 한 번씩 모두 사용하여 계산 결과가 가장 작은 식을 만들고 계산해 보세요.

1 수 카드 6장이 있습니다. 물음에 답하세요.

(1) 위의 수 카드를 합이 같도록 2장씩 짝지어 보세요.

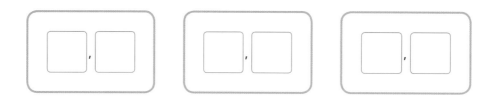

(2) 위의 수 카드를 차가 같도록 2장씩 짝지어 보세요.

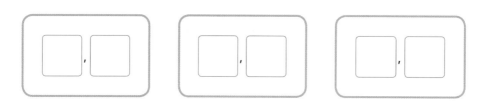

● 1부터 6까지의 수가 적힌 주사위 2개가 있습니다. 이 주사위에 적힌 두 수의 합이 가장 클 때와 가장 작을 때의 합을 각각 구해 보세요.

합이 가장 클 때: ☐   합이 가장 작을 때: ☐

● 1부터 6까지의 수가 적힌 주사위 2개가 있습니다. 이 주사위에 적힌 두 수의 합이 8이 되는 경우는 모두 몇 가지일까요?

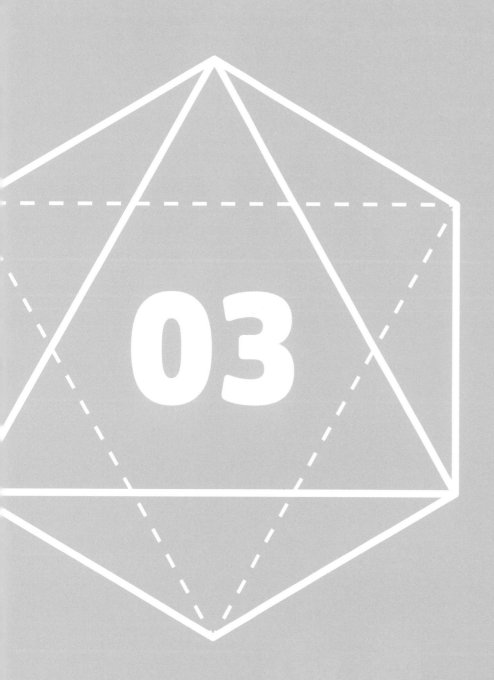

03

목표수 만들기

지호   예원

Math storyteller

 : 수 카드 1, 3, 8과 +, −로 수학 시계를 만들어 보자. 단, 시계를 만들 때 하나의 식에서 +, −는 여러 번 사용할 수 있지만 같은 수는 여러 번 사용할 수 없어.

 : 1시, 3시, 8시는 수 카드 하나만으로도 만들 수 있어.

 : 맞아. 연산 기호를 사용해서 나머지 수도 모두 만들어 보자.

● 1, 3, 8과 +, −를 사용하여 1부터 12까지의 수를 만들어 수학 시계를 완성해 보세요. 단, +, −는 여러 번 사용할 수 있지만 같은 수는 여러 번 사용할 수 없습니다.

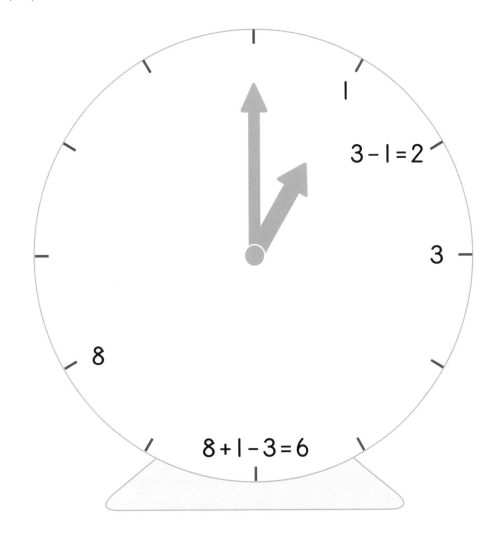

주어진 수 중 **2**개를 사용하여 식을 완성해 보세요.

$$1 \quad 3 \quad 6 \quad 7$$

$$5 + \boxed{} - \boxed{} = 6$$

$$5 - \boxed{} + \boxed{} = 3$$

주어진 수를 써넣어 목표수 만들기

$$2 \quad 4 \quad \Rightarrow \quad 3 + \boxed{} - \boxed{} = 1$$

2 작은 수

1은 3보다 2 작은 수이므로
더하는 수보다 빼는 수가 2 더 커야 합니다.

1. 앞의 수와 계산 결과를 비교하여 계산 결과가 더 크면 더하는 수를 크게 하고, 계산 결과가 더 작으면 빼는 수를 더 크게 합니다.

예제 1

수 카드 중 **2**장을 골라 써넣어 식을 완성해 보세요.

$$\boxed{2} \quad \boxed{3} \quad \boxed{4} \quad \boxed{6}$$

$$\boxed{} + 2 - \boxed{} = 5$$

$$1 + \boxed{} + \boxed{} = 7$$

예제 2

빈 곳에 **+** 또는 **−**를 써넣어 식을 완성해 보세요.

$$4 \bigcirc 3 \bigcirc 2 = 9$$

$$4 \bigcirc 3 \bigcirc 2 = 5$$

$$4 \bigcirc 3 \bigcirc 2 = 3$$

2, 3, 7과 +, −를 사용하여 1부터 10까지의 수를 만들어 보세요. (단, 하나의 식에서 +, −는 여러 번 사용할 수 있지만 같은 수를 여러 번 사용할 수는 없습니다.)

| 2 | 3 | 7 | | + | − |

수	식	수	식
1		6	
2	2	7	7
3	3	8	
4		9	
5		10	

수 만들기

1, 2, 7과 +, −로 수 만들기

수	식	수	식
1	1	6	7−1=6
2	2	7	7
3	2+1=3	8	
4		9	
5		10	7+2+1=10

1. 1개의 수로 만들 수 있는 수를 찾습니다. → 1, 2, 7

2. 2개의 수와 + 또는 −를 사용하여 만들 수 있는 수를 찾습니다.
   → 2+1=3, 7−2=5, 7−1=6, 7+1=8, 7+2=9

3. 3개의 수와 + 또는 −를 사용하여 만들 수 있는 수를 찾습니다.
   → 7−2−1=4, 7+2−1=8, 7+2+1=10

예제 1

1, 3, 6 중 알맞은 수를 빈칸에 써넣어 1부터 10까지의 수를 만들어 보세요.

1   3   6

수	식	수	식
1	1	6	6
2	$\square - \square = 2$	7	$\square + \square = 7$
3	3	8	$\square + \square - \square = 8$
4	$\square + \square = 4$	9	$\square + \square = 9$
5	$\square - \square = 5$	10	$\square + \square + \square = 10$

1 주어진 수 카드를 한 번씩 사용하여 식을 완성해 보세요.

$$2 \quad 3 \quad \Rightarrow \quad 5 + \boxed{} - \boxed{} = 6$$

$$4 \quad 7 \quad \Rightarrow \quad 8 - \boxed{} + \boxed{} = 5$$

2 주머니 안의 수를 한 번씩 모두 써넣어 식 3개를 완성해 보세요.

$$\boxed{} - \boxed{} = 2$$

$$\boxed{} + \boxed{} = 8$$

$$\boxed{} - \boxed{} = 5$$

3 1, 2, 4와 +를 사용하여 여러 가지 수를 만들려고 합니다. 물음에 답하세요. (단, 하나의 식에서 +는 여러 번 사용할 수 있지만 같은 수를 여러 번 사용할 수는 없습니다.)

(1) 만들 수 있는 수를 모두 만들어 보세요.

수	식
1	1
2	2
3	
4	4

수	식
5	
6	
7	
8	×

(2) 만들 수 있는 수 중 가장 큰 수는 얼마일까요?

4 주어진 수 카드 중 서로 다른 **2**장을 뽑아 합 또는 차를 구합니다. **1**부터 **9**까지의 수 중에서 나올 수 없는 수에 모두 ✕표 하세요.

| 1 | 2 | 7 |

| 1 | 2 | 3 | 4 | 5 | 6 | 7 | 8 | 9 |

5 ☐안에 **3**, **4**, **7**을 한 번씩 써넣어 식을 완성해 보세요.

| 3 | 4 | 7 |

☐ + ☐ − ☐ = 0

☐ + ☐ − ☐ = 6

☐ + ☐ − ☐ = 8

6 I, 3, 9와 +, −를 사용하여 I부터 I3까지의 수를 만들어 보세요. (단, 하나의 식에서 +, −는 여러 번 사용할 수 있지만 같은 수를 여러 번 사용할 수는 없습니다.)

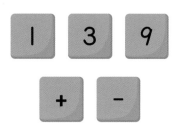

수	식
I	I
2	3 − I = 2
3	3
4	I + 3 = 4
5	
6	
7	

수	식
8	
9	9
I0	
II	
I2	
I3	

1　볼링공에 적힌 수와 +, −를 사용하여 볼링핀에 적힌 수를 만듭니다. 물음에 답하세요.
　　(단, 하나의 식에서 +, −는 여러 번 사용할 수 있지만 같은 수를 여러 번 사용할 수는 없습니다.)

(1) 1부터 10까지의 수 중 만들 수 있는 수를 모두 만들어 보세요.

수	식	수	식
1		6	
2	2	7	
3	3	8	
4		9	
5	5	10	

(2) 1부터 10까지의 수 중 만들 수 없는 수는 무엇일까요?

- l, 2, 6, 8 중 서로 다른 3개의 수를 사용하여 다음과 같이 결과가 9인 식을 만들었습니다. 사용하지 <u>않은</u> 수는 무엇일까요?

$$\boxed{} + \boxed{} - \boxed{} = 9$$

- ○ 안에는 + 또는 − 가 들어갑니다. 나올 수 있는 계산 결과를 모두 구해 보세요.

$$7 \bigcirc 1 \bigcirc 2$$

04

줄 서기

Math storyteller

 : 수의 여러 가지 쓰임새를 알아보자.

 : 수는 쓰임에 따라 **3**가지 방법으로 사용돼.

: "사과가 **2**개 있습니다."에서 **2**는 양을 나타내는 수야. 그리고 "버스정류장에서 둘째로 서 있습니다."에서 둘째는 순서를 나타내는 수야. 마지막으로 "축구 선수의 등번호는 **2**번입니다."에서 **2**는 이름을 나타내는 수야.

● **5**명의 친구들이 달리기를 하고 있습니다. 빈칸에 알맞은 수 또는 말을 써넣으세요.

달리기를 하는 친구들은 모두 ☐ 명입니다.

등번호가 ☐ 번인 친구는 앞에서 첫째로 달리고 있고,

등번호가 **5**번인 친구는 앞에서 ☐ 로 달리고 있습니다.

뒤에서 셋째로 달리고 있는 친구의 등번호는 ☐ 번입니다.

버스정류장에 9명이 한 줄로 서 있습니다. 민지는 앞에서 둘째에 서 있고, 서현이는 뒤에서 셋째에 서 있습니다. 민지와 서현이 사이에는 몇 명이 서 있을까요?

앞 ◯ ◯ ◯ ◯ ◯ ◯ ◯ ◯ ◯ 뒤

그림 그려 순서 찾기

순서를 나타내는 수를 순서수라고 합니다. 순서를 세어 읽을 때는 첫째, 둘째, 셋째, 넷째, 다섯째, 여섯째, 일곱째, 여덟째, 아홉째……라고 읽습니다.

9명의 친구들이 한 줄로 서 있습니다. 수아는 왼쪽에서 셋째, 준서는 오른쪽에서 넷째에 서 있다면 수아와 준서 사이에는 몇 명이 있을까요?

왼쪽 ◯ ◯ ● ◯ ◯ ● ◯ ◯ ◯ 오른쪽
　　　　　　수아　　　　　준서

....

1. 전체 사람 수만큼 ◯를 그립니다.

2. 조건에 맞게 수아와 준서의 위치를 표시하여 수아와 준서 사이에 몇 명이 있는지 구합니다.

예제 1

현수네 가족 **6**명이 한 줄로 나란히 서서 사진을 찍었습니다. 아버지는 가장 왼쪽에 서 있고, 어머니는 오른쪽에서 둘째에 서 있습니다. 아버지와 어머니 사이에는 몇 명이 서 있을까요?

왼쪽 ◯ ◯ ◯ ◯ ◯ ◯ 오른쪽

예제 2

7명의 학생들이 달리기를 하고 있습니다. 다음을 보고 민우는 몇 등으로 달리고 있는지 구해 보세요.

- 도훈이는 앞에서 첫째로 달리고 있습니다.
- 도훈이와 민우 사이에는 **2**명이 달리고 있습니다.

민재와 친구들이 달리기를 하고 있습니다. 민재가 앞에서 셋째, 뒤에서 넷째로 달리고 있다면 달리기를 하는 사람은 모두 몇 명일까요?

앞   ⬭   뒤

민재

그림 그려 모두 몇 명인지 구하기

윤하와 친구들이 한 줄로 서 있습니다. 윤하가 앞에서 셋째, 뒤에서 둘째에 서 있다면 줄을 서 있는 사람은 모두 몇 명일까요?

		첫째	둘째	셋째	
앞에서 셋째	앞	◯	◯	◯	
				윤하	

⬇

				둘째	첫째
뒤에서 둘째	앞	◯	◯	◯	◯ 뒤
				윤하	

1. 윤하의 위치를 ◯로 그리고, 조건에 맞게 윤하 앞과 뒤로 ◯를 그립니다.

2. ◯를 개수를 세어 모두 몇 명인지 구합니다.

예제 1

지우와 친구들이 한 줄로 나란히 서 있습니다. 지우가 왼쪽에서 다섯째, 오른쪽에서 셋째로 서 있다면 줄을 서 있는 사람은 모두 몇 명일까요?

왼쪽　　　　　　　　　　　⭕　　　　　　　　　　　오른쪽
지우

예제 2

지한이와 친구들이 달리기를 했습니다. 지한이가 하는 말을 읽고, 달리기를 한 사람은 모두 몇 명인지 구해 보세요.

나는 앞에서도 셋째, 뒤에서도 셋째로 들어 왔어.

지한

1 운동장에 **9**명의 친구들이 한 줄로 서 있습니다. 우영이가 앞에서 여섯째에 서 있다면 뒤에서는 몇째에 서 있을까요?

앞 ○ ○ ○ ○ ○ ○ ○ ○ ○ 뒤

2 7명의 친구들이 한 줄로 서 있습니다. 다음을 보고 수호가 서 있는 자리에 색칠해 보세요.

> • 예서는 뒤에서 셋째에 서 있습니다.
> • 예서와 수호 사이에 **2**명이 있습니다.

앞 ○ ○ ○ ○ ○ ○ ○ 뒤

3 5대의 버스가 한 줄로 나란히 달리고 있습니다. 지호가 탄 버스는 앞에서 첫째, 민서가 탄 버스는 뒤에서 첫째로 달리고 있다면 지호와 민서가 탄 버스 사이에는 몇 대의 버스가 있을까요?

4 연수와 친구들이 한 줄로 나란히 서 있습니다. 연수가 왼쪽에서 넷째, 오른쪽에서 둘째에 서 있다면 줄을 서 있는 사람은 모두 몇 명일까요?

왼쪽　　　　　　　　　　　　　　　　　　　　　　　　　　오른쪽

연수

5 6명의 친구들이 한 줄로 서 있습니다. 수민이는 앞에서 둘째에 서 있고, 은아의 뒤에는 아무도 없습니다. 수민이와 은아 사이에는 몇 명이 서 있을까요?

6 기차 칸이 앞뒤로 나란히 연결되어 있습니다. 4호차는 앞에서 넷째, 뒤에서 다섯째에 있다면 연결된 기차는 모두 몇 칸일까요?

4호차

7 예원이와 친구들이 달리기를 했습니다. 예원이가 하는 말을 읽고, 달리기를 한 사람은 모두 몇 명인 지 구해 보세요.

나는 |등을 했는데 뒤에서 는 다섯째로 들어 왔어.

예원

8 다음을 보고 로건이가 사는 아파트는 모두 몇 층인지 구해 보세요.

- 로건이는 아래에서 넷째 층에 삽니다.
- 로건이가 사는 층 위로 **5**층이 더 있습니다.

1 1번부터 7번까지 등번호가 달린 선수 7명이 달리기를 했습니다. 친구들이 하는 말을 읽고, 1번 선수는 몇 등을 했는지 구해 보세요.

2 운동장에 6명의 친구들이 한 줄로 서 있습니다. 다음을 보고 지호보다 뒤에 서 있는 사람은 몇 명인지 구해 보세요.

- 예원이는 앞에서 셋째에 서 있습니다.
- 예원이와 지호 사이에는 1명이 서 있습니다.
- 예원이는 지호보다 앞에 서 있습니다.

● 남학생과 여학생이 번갈아 가며 한 줄로 서 있습니다. 남학생은 모두 **3**명이고, 맨 앞과 맨 뒤에는 남학생이 서 있습니다. 줄을 서 있는 여학생은 몇 명일까요?

● 친구들이 둥글게 앉아 있습니다. 정우는 세연이가 앉은 자리에서 오른쪽으로도 두 번째에 앉아 있고, 왼쪽으로도 두 번째에 앉아 있습니다. 둥글게 앉아 있는 사람은 모두 몇 명일까요?

세연

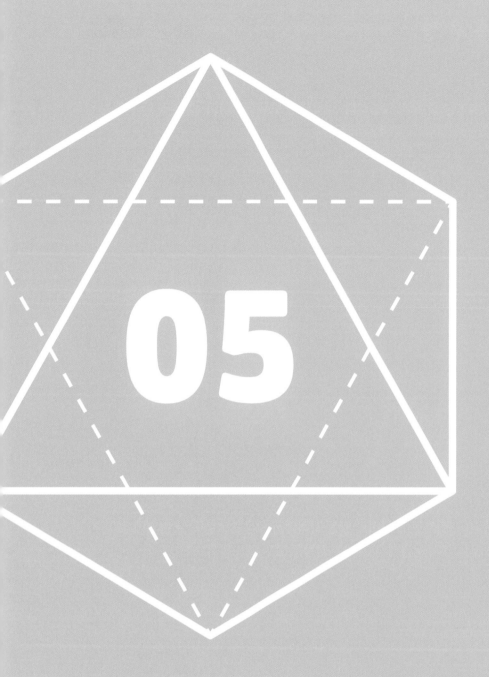

05

모양 패턴

모양 패턴

지호   예원

: 되풀이되는 규칙을 정하여 순서대로 늘어놓은 것을 패턴이라고 하고, 되풀이되는 부분을 패턴의 마디라고 해.

마디   마디   마디   마디   마디

: 모양, 색깔, 크기, 개수 등 여러 가지 패턴에서 마디를 찾아보자.

● 일정한 규칙으로 늘어놓은 패턴입니다. 마디를 찾아 모두 ○로 묶어 보세요.

일정한 규칙으로 늘어놓은 패턴입니다. 빈 곳에 들어갈 모양을 찾아 번호를 써넣으세요.

마디 찾아 패턴 완성하기

♡ ♡ ♡   ♡   ♡   ○   ♡   ♡   ○   ♡   ♡
마디

○ △ □   ○   △   □   ○   △   ○   □
마디

....

1. 패턴의 마디를 찾아 마디가 반복되도록 패턴을 완성합니다.

예제 1

규칙을 찾아 빈 곳에 알맞은 모양을 그리거나 색칠해 보세요.

(1) ☐ ☐ ◯ ☐ ☐ ◯ ☐ ☐

(2)

(3)

예제 2

규칙에 따라 놓이지 <u>않은</u> 기차 칸 하나를 찾아 ✕표 하세요.

(1)

(2)

규칙에 따라 모양을 그리고 있습니다. 8번째 모양을 그려 보세요.

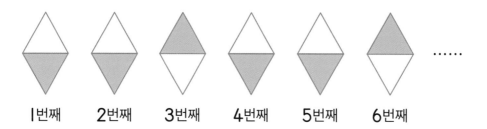

1번째   2번째   3번째   4번째   5번째   6번째

8번째

마디

7번째   8번째

몇 번째 모양

1. 패턴의 마디를 찾아 □번째 모양까지 계속 그려 나갑니다.

예제 1

규칙을 찾아 10번째 모양까지 그려 보세요.

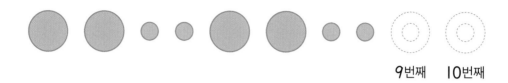

9번째   10번째

예제 2

규칙에 따라 풍선을 늘어놓았습니다. 9번째에 놓이는 풍선에 ○표 하세요.

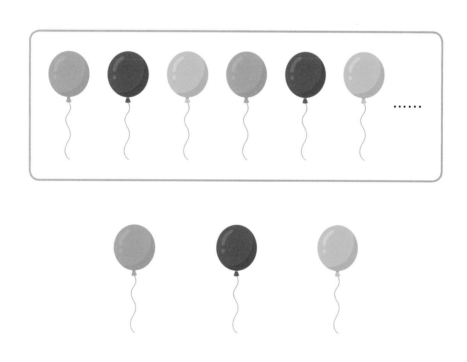

1 규칙을 찾아 마지막에 들어갈 모양의 번호를 써넣으세요.

(1)

(2)

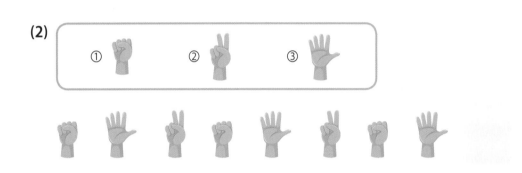

2 규칙을 찾아 빈 곳에 알맞게 색칠해 보세요.

(1)

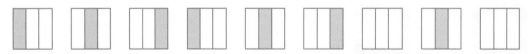

(2)

3 규칙에 따라 모양을 그리고 있습니다. **9**번째 모양을 그려 보세요.

9번째

4 과일이 일정한 규칙으로 놓이지 <u>않은</u> 것을 고르세요.

5 가로 또는 세로로만 이동하여 주어진 마디로 이루어진 패턴을 따라 미로를 통과해 보세요.

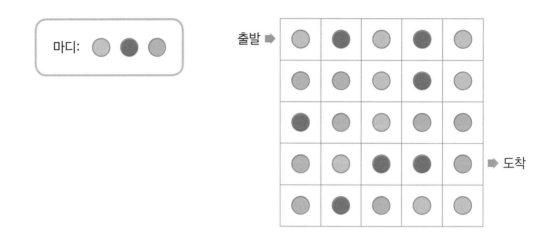

6 과자 10개를 일정한 규칙으로 늘어놓았습니다. 마지막에 놓이는 과자 모양에 ○표 하세요.

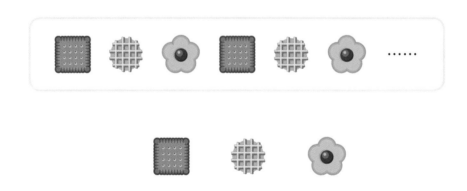

7 도미노를 일정한 규칙으로 늘어놓았습니다. 빈 곳에 알맞게 점을 그려 넣으세요.

(1)

(2)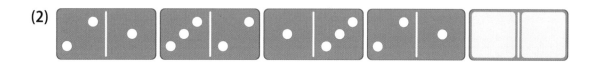

8 일정한 규칙으로 수를 적었습니다. 빈 곳에 알맞은 수를 써넣으세요.

1	2	3	1
			2
2			3
	3	2	

1 지호가 일정한 규칙에 따라 구슬을 놓고 있습니다. 구슬을 모두 **9**개 놓았다면 파란색 구슬은 몇 개 놓았을까요?

2 예원이가 일정한 규칙에 따라 모양을 그리고 있습니다. △가 **5**개 나올 때까지 모양을 그렸다면 예원이가 그린 모양은 모두 몇 개일까요?

● 일정한 규칙에 따라 모양을 늘어놓았습니다. 빈 곳에 들어갈 모양을 고르세요.

①  ②  ③

● 일정한 규칙에 따라 바둑돌을 두 줄로 놓았습니다. 빈 곳에 들어갈 바둑돌을 고르세요.

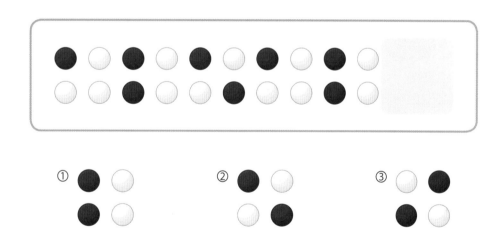

①   ②   ③

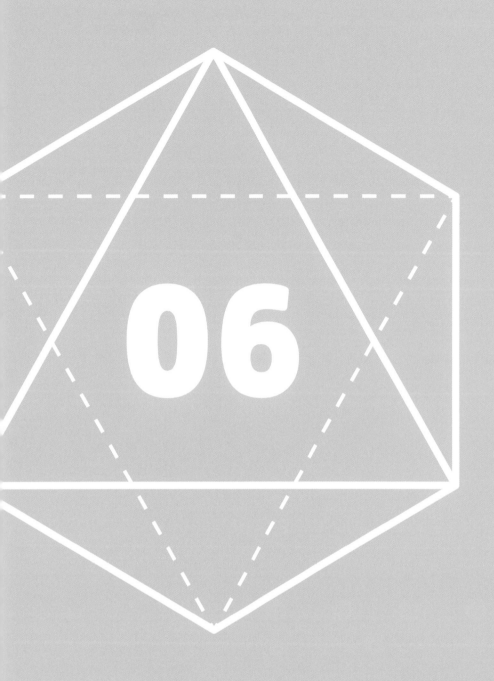

06

증감 패턴

지호   예원

Math storyteller

 : 난 구슬을 I개 가지고 있어.

 : 난 구슬을 9개 가지고 있어. 내일부터 매일 너에게 구슬을 I개씩 줄게.

● 규칙을 찾아 5일째에 지호와 예원이가 가진 구슬 수만큼 ○를 그리고, 빈칸에 알맞은 수를 써넣으세요.

	I일	2일	3일	4일	5일
지호	●	●●	●●●	●●● ●	
예원	●●● ●●● ●●●	●●● ●●● ●●	●●● ●●● ●	●●● ●●●	

지호의 구슬은 ☐ 개씩 늘어나는 규칙입니다.

예원이의 구슬은 ☐ 개씩 줄어드는 규칙입니다.

나는 구슬을 받으니까 내 구슬은 일정하게 늘어나.

내 구슬은 일정하게 줄어들지.

규칙에 따라 **4**번째 모양을 만들려면 쌓기나무가 몇 개 필요할까요?

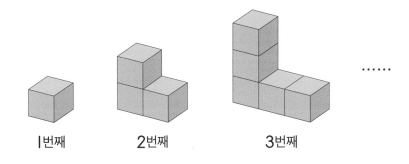

1번째   2번째   3번째   ……

늘어나고 줄어드는 규칙

➡ ☐ 개씩 (늘어나는 , 줄어드는) 규칙입니다.

➡ ☐ 개씩 (늘어나는 , 줄어드는) 규칙입니다.

1. 앞의 개수와 뒤의 개수를 세어 모양이 몇 개씩 늘어나거나 줄어드는지 구합니다.

규칙을 찾아 빈 곳에 알맞은 모양을 그려 보세요.

(1)

   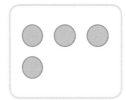

(2)

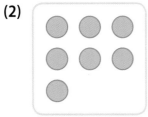   

규칙을 찾아 빈 곳에 알맞은 점을 그려 넣으세요.

모양이 커지는 규칙을 찾아 **4**번째 모양을 그리고, **4**번째 모양에서 바둑돌이 몇 개 있는지 구해 보세요.

|번째   2번째   3번째

4번째

➡ 바둑돌의 개수: ⬚ 개

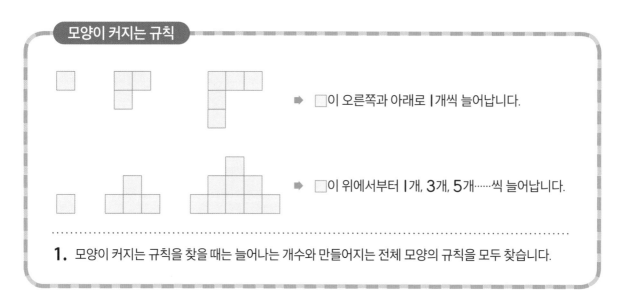

모양이 커지는 규칙

➡ ⬚이 오른쪽과 아래로 **|**개씩 늘어납니다.

➡ ⬚이 위에서부터 **|**개, **3**개, **5**개⋯⋯씩 늘어납니다.

1. 모양이 커지는 규칙을 찾을 때는 늘어나는 개수와 만들어지는 전체 모양의 규칙을 모두 찾습니다.

예제 1

규칙을 찾아 다음에 올 모양을 그려 보세요.

(1)

(2)

예제 2

규칙에 따라 성냥개비를 늘어놓고 있습니다. 4번째 모양을 그려 보세요.

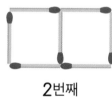 

| 번째   2번째   3번째

4번째

1 규칙을 찾아 빈칸에 알맞은 수를 써넣고, 알맞은 말에 ◯표 하세요.

(1)

☐ 개씩 (늘어나는 , 줄어드는) 규칙입니다.

(2)

☐ 개씩 (늘어나는 , 줄어드는) 규칙입니다.

2 규칙을 찾아 빈 곳에 알맞은 모양을 그려 보세요.

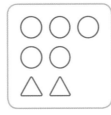  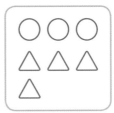

3 규칙을 찾아 다음에 올 모양을 그려 보세요.

(1)

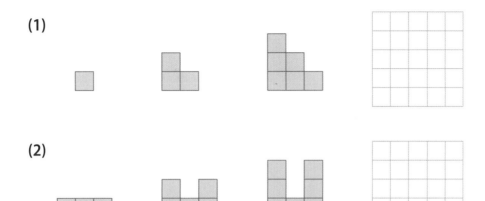

(2)

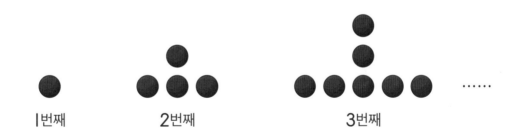

4 규칙에 따라 **4**번째 모양을 만들려면 바둑돌이 몇 개 필요할까요?

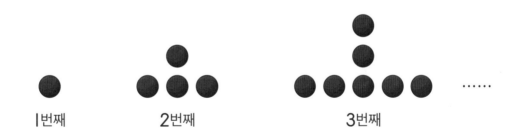

1번째　　　2번째　　　3번째　　…···

5 규칙에 따라 쌓기나무를 놓습니다. 5번째 모양에서는 쌓기나무가 몇 개 필요할까요?

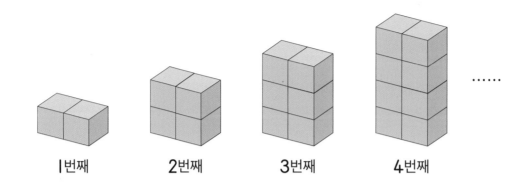

| 1번째 | 2번째 | 3번째 | 4번째 |

6 규칙에 따라 주머니에 구슬을 넣었습니다. 6번째 주머니 안에 들어 있는 구슬은 몇 개일까요?

6번째

7 규칙에 따라 성냥개비를 늘어놓고 있습니다. **4**번째 모양을 그리고, 모양을 만들기 위해 필요한 성냥개비의 개수를 구해 보세요.

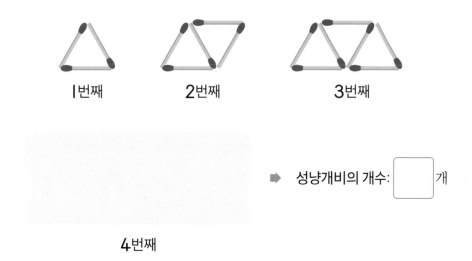

1번째   2번째   3번째

➡ 성냥개비의 개수: ☐ 개

4번째

8 일정한 규칙으로 선을 따라 색종이를 자릅니다. **4**번째에서 색종이를 자른 조각은 몇 개 나올까요?

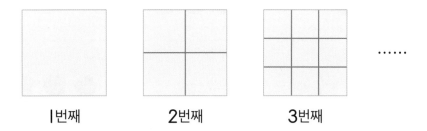

1번째   2번째   3번째

1 규칙에 따라 5번째 모양을 그려 보세요.

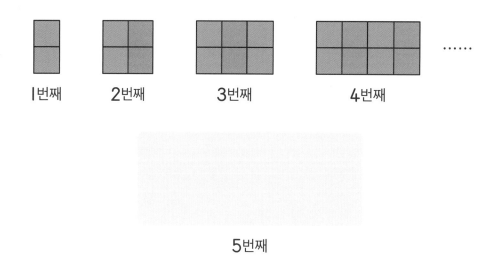

5번째

2 규칙에 따라 바둑돌을 놓고 있습니다. 빈 곳에 놓일 바둑돌을 고르세요.

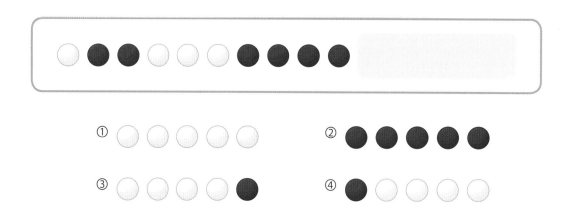

● 규칙에 따라 바둑돌을 놓고 있습니다. 물음에 답하세요.

1번째   2번째   3번째   4번째

바둑돌은 위에서부터 1개, 2개, 3개씩 늘어나.

바둑돌의 색깔은 검은색, 흰색이 반복돼.

(1) 5번째 모양을 그려 보세요.

5번째

(2) 5번째 모양에서 검은색 바둑돌과 흰색 바둑돌은 각각 몇 개일까요?

검은색 바둑돌: ☐ 개   흰색 바둑돌: ☐ 개

07

수 배열표

지호   예원

● 백판 수 배열표를 보고 화살표를 따라가며 놓인 수의 규칙을 설명해 보세요.

1	2	3	4	5	6	7	8	9	10
11	12	13	14	15	16	17	18	19	20
21	22	23	24	25	26	27	28	29	30
31	32	33	34	35	36	37	38	39	40
41	42	43	44	45	46	47	48	49	50
51	52	53	54	55	56	57	58	59	60
61	62	63	64	65	66	67	68	69	70
71	72	73	74	75	76	77	78	79	80
81	82	83	84	85	86	87	88	89	90
91	92	93	94	95	96	97	98	99	100

가로 10칸, 세로 10칸인 표에 1부터 100까지의 수를 순서대로 써넣은 것을 백판 수 배열표라고 합니다.
다음은 백판 수 배열표의 일부입니다. 색칠된 칸에 알맞은 수를 써넣으세요.

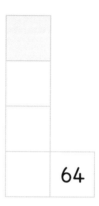

백판 수 배열표

1	2		4	5			8		10
11	12		14			17	18		
21				25			28	29	

1. 백판 수 배열표는 오른쪽으로 한 칸씩 가면 1씩 커지고, 왼쪽으로 한 칸씩 가면 1씩 작아집니다.

2. 아래쪽으로 한 칸씩 가면 10씩 커지고, 위쪽으로 한 칸씩 가면 10씩 작아집니다.

예제 1

백판 수 배열표의 일부입니다. 빈칸에 알맞은 수를 써넣으세요.

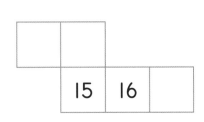
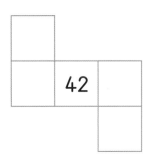

예제 2

백판 수 배열표의 일부가 <u>아닌</u> 것에 ✕표 하세요.

12	13	14
		24
		34

25	26
	36
45	46

	8	
17	18	19
		20

36		
46	47	
	57	58

어떤 규칙에 따라 수를 써넣습니다. ㉠과 ㉡에 알맞은 수를 각각 구해 보세요.

5	4	3	2	1
7	6	5		3
9	㉠			
11				㉡

㉠ = ☐   ㉡ = ☐

여러 가지 수 배열표

1	2	3	4
8	7	6	5
9	10	11	

1	3	5	7
2	4	6	8
3	5		
4	6		

⤷ 방향으로 수를 순서대로 써넣습니다.   오른쪽으로 2씩 커지고, 아래쪽으로 1씩 커집니다.

1. 순서대로 써넣은 수의 길을 찾습니다.

2. 가로와 세로로 수가 몇씩 커지거나 작아지는지 찾습니다.

예제 1

수 배열표의 규칙을 찾아 빈칸에 알맞은 수를 써넣으세요.

(1)

1	2	3	4
2	3		5
3	4		6
		6	

(2)

7	5	3	1
8	6		2
9	7	5	
		6	4

예제 2

일정한 규칙에 따라 수를 써넣은 표의 일부입니다. ㉠에 알맞은 수는 무엇일까요?

1	8	9	㉠
2			
3	6		
4	5	12	

1 백판 수 배열표입니다. 물음에 답하세요.

1	2	3	4	5	6	7	8	9	10
11	12	13	14	15	16	17	18	19	20
21	22	23	24	25	26	27	28	29	30
31	32	33			36	37	38	39	40
		43			46	47	48		
				55	56	57			
			64	65	66	67			
		73	74	75	76	77			
						87			

(1) 43에서 왼쪽으로 2칸 간 곳에 있는 수는 무엇일까요?

(2) 64에서 위로 3칸 간 곳에 있는 수는 무엇일까요?

(3) 6에서 오른쪽으로 3칸, 아래로 4칸 간 곳에 있는 수는 무엇일까요?

(4) 87에서 위로 2칸, 오른쪽으로 3칸 간 곳에 있는 수는 무엇일까요?

2 백판 수 배열표의 일부입니다. 주어진 수가 들어가는 칸에 색칠해 보세요.

(1) 35

3	4	5	6
13	14	15	16
23	24		

(2) 26

		38	39
	47	48	49
	57		

3 어떤 규칙에 따라 수를 써넣습니다. 수 배열표를 완성했을 때 7은 몇 개 있을까요?

1	2	3	4
3	4	5	
5	6		
	8		

4 어떤 규칙에 따라 수를 써넣은 것입니다. 색칠된 칸에 들어가는 수는 무엇일까요?

1	2	3		5
16			19	6
				7
14			21	
13		11	10	9

5 다음은 백판 수 배열표의 일부입니다. 다람쥐와 강아지가 연결된 칸을 따라 동시에 한 칸씩 움직일 때, 다람쥐와 강아지가 만나는 칸에 적힌 수는 무엇일까요?

1	2	3							
						18	19	20	

6 오른쪽으로 한 칸 갈 때 **2**씩 커지고, 아래로 한 칸 갈 때 **1**씩 커지는 규칙으로 수를 넣으려고 합니다. ㉠에 알맞은 수는 무엇일까요?

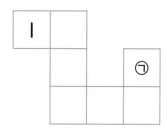

7 다음은 백판 수 배열표의 일부입니다. 이 수 배열표에서 가장 작은 수가 **3**일 때, 수 배열표를 완성해 보세요.

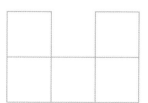

1 규칙 에 따라 움직입니다. 도착하는 수를 빈칸에 써넣으세요.

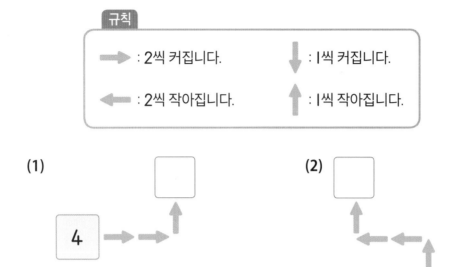

2 규칙 에 따라 움직입니다. 빈 곳에 화살표를 그려 넣으세요.

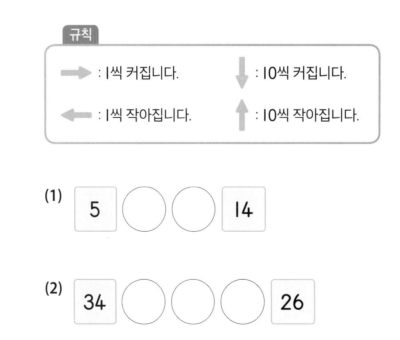

● 어떤 규칙에 따라 수를 써넣은 것입니다. ㉠에 들어가는 수는 무엇일까요?

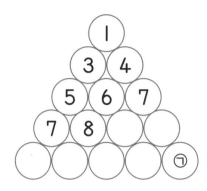

● 일정한 규칙에 따라 수를 써넣은 수 배열표입니다. 색칠된 칸에 들어가는 수 중 20보다 크고 25보다 작은 수는 무엇일까요?

1	2	3	4	5	6
7	8	9	10	11	12
13					

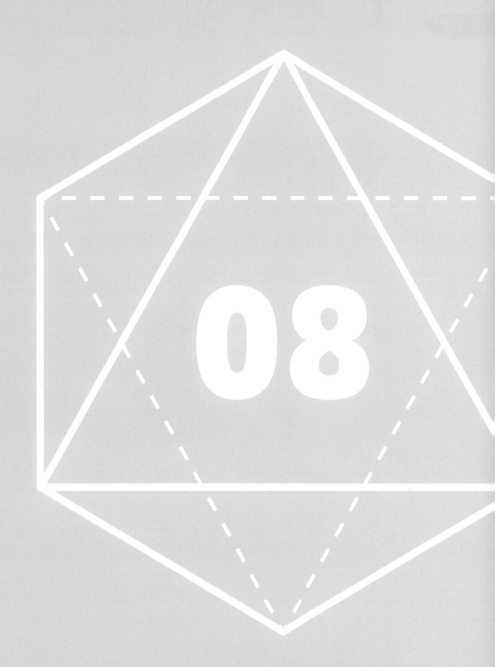

08

리뷰

1 모으기와 가르기

수를 한 번씩 넣기

1. 수가 모두 다르도록 가르기를 할 때는 수를 바로 넣을 수 있는 곳부터 찾아 수를 써 넣습니다.

2. 작은 수를 가르기 하는 방법의 가짓수가 적으므로 작은 수부터 가르기 하고, 이미 사용한 수를 제외하면서 가르기를 완성합니다.

---

1. ◯ 안의 수가 모두 다르도록 가르기를 해 보세요.

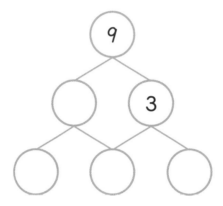

2. 주어진 수를 한 번씩 모두 사용하여 모으기를 해 보세요.

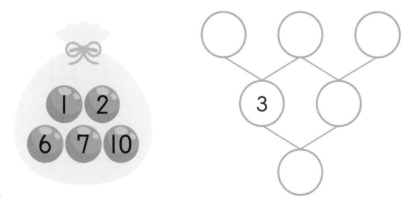

피라미드 꼭대기의 수

1. 두 수를 모은 수를 선으로 연결된 위쪽 칸에 써넣어 수 피라미드를 만들 때 아래쪽 세 칸 중 가운데 칸에 들어가는 수는 두 번 더해집니다.

2. 가운데 칸에 작은 수가 들어가면 꼭대기의 수가 작아지고, 가운데 칸에 큰 수가 들어가면 꼭대기의 수가 커집니다.

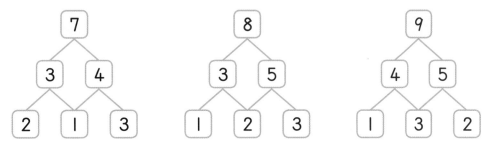

1. 1, 4, 5를 가장 아래쪽 칸에 쓰고, 두 수를 모은 수를 선으로 연결된 위쪽 칸에 써넣습니다. 꼭대기의 색칠된 칸의 수가 가장 클 때와 가장 작을 때의 수 피라미드를 각각 만들어 보세요.

꼭대기의 수가 가장 클 때   꼭대기의 수가 가장 작을 때

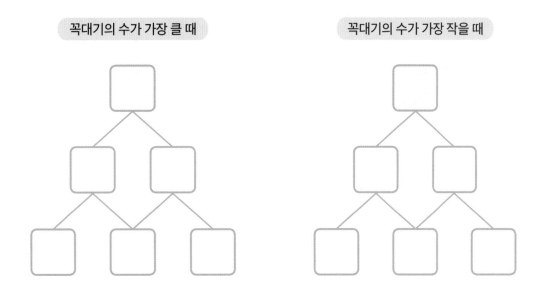

| 합과 차가 같은 식 |

1. 덧셈식에서 더해지는 수가 l씩 작아지고 더하는 수가 l씩 커지면 결과는 변하지 않습니다.

2. 뺄셈식에서 빼지는 수와 빼는 수 모두 l씩 커지거나 작아지면 결과는 변하지 않습니다.

1. 주어진 수 카드 중 2장을 사용하여 차가 4인 덧셈식을 모두 만들어 보세요.

| 0 | l | 2 | 3 | 4 | 5 | 6 | 7 |

□ - □ = 4   □ - □ = 4

□ - □ = 4   □ - □ = 4

2. 주어진 수 카드 중 서로 다른 2장을 사용하여 합이 l0인 덧셈식을 만듭니다. 사용할 수 <u>없는</u> 수 카드는 무엇일까요?

| l | 2 | 3 | 4 | 5 | 6 | 7 | 8 | 9 |

↓

□ + □ = l0

합이 크고 작은 식, 차가 크고 작은 식

1. 서로 다른 두 수로 만들 수 있는 합이 가장 큰 식은 (가장 큰 수) + (두 번째 큰 수)이고, 합이 가장 작은 식은 (가장 작은 수) + (두 번째 작은 수)입니다.

2. 서로 다른 두 수로 만들 수 있는 차가 가장 큰 식은 (가장 큰 수) − (가장 작은 수)이고, 차가 가장 작은 식은 가장 가까운 두 수의 차입니다.

$$2 \quad 3 \quad 5 \quad 8$$

합이 가장 큰 식: $8 + 5 = 13$ 차가 가장 큰 식: $8 - 2 = 6$

합이 가장 작은 식: $2 + 3 = 5$ 차가 가장 작은 식: $3 - 2 = 1$

---

1. 2, 4, 5, 9 중 서로 다른 두 수를 사용하여 합이 가장 큰 식과 합이 가장 작은 식을 만들어 보세요.

$$\boxed{2} \quad \boxed{4} \quad \boxed{5} \quad \boxed{9}$$

합이 가장 큰 식: $\square + \square = \square$

합이 가장 작은 식: $\square + \square = \square$

2. 1, 3, 4, 8 중 서로 다른 두 수를 사용하여 차가 가장 큰 식과 차가 가장 작은 식을 만들어 보세요.

$$\boxed{1} \quad \boxed{3} \quad \boxed{4} \quad \boxed{8}$$

차가 가장 큰 식: $\square - \square = \square$

차가 가장 작은 식: $\square - \square = \square$

주어진 수를 써넣어 목표수 만들기

1. 계산 결과 1은 앞의 수 3보다 2가 더 작습니다.

2. 주어진 식에서 빼는 수가 2 더 크도록 수를 써넣습니다.

1 2 5 7 ➡ $3 + \boxed{} - \boxed{} = 1$ ➡ $3 + \boxed{5} - \boxed{7} = 1$

2 작은 수

---

1. 주어진 수 중 2개를 사용하여 식을 완성해 보세요.

2 3 5 8

$4 + \boxed{} - \boxed{} = 7$

$4 - \boxed{} + \boxed{} = 3$

2. 빈 곳에 + 또는 −를 써넣어 식을 완성해 보세요.

$6 \bigcirc 4 \bigcirc 2 = 8$

$6 \bigcirc 4 \bigcirc 2 = 4$

수 만들기

1. 1개, 2개 또는 3개의 수와 +, −를 사용하여 여러 가지 목표수를 만들 수 있습니다.

1, 2, 5와 +, −로 수 만들기

수	식	수	식
1	1	5	5
2	2	6	5+1=6
3	5−2=3	7	5+2=7
4	5−1=4	8	5+2+1=8

1. 1, 3, 5와 +, −를 사용하여 1부터 9까지의 수를 만들어 보세요. (단, 하나의 식에서 +, −는 여러 번 사용할 수 있지만 같은 수를 여러 번 사용할 수는 없습니다.)

1	3	5	+	−

수	식
1	1
2	
3	3
4	3+1=4
5	5

수	식
6	
7	
8	
9	

그림 그려 순서 찾기

1. 순서를 나타내는 수를 순서수라고 합니다. 순서를 세어 읽을 때는 첫째, 둘째, 셋째, 넷째, 다섯째, 여섯째, 일곱째, 여덟째, 아홉째……라고 읽습니다.

2. 조건에 맞게 순서를 찾을 때는 먼저 전체 사람 수만큼 ○를 그린 다음, 조건에 맞게 위치를 표시하면서 구하려는 것을 구합니다.

9명의 친구들이 한 줄로 서 있습니다. 수아는 왼쪽에서 셋째, 준서는 오른쪽에서 넷째에 서 있다면 수아와 준서 사이에는 2 명이 있습니다.

1. 8명의 친구들이 한 줄로 서 있습니다. 지호는 앞에서 둘째에 서 있고, 예원이는 뒤에서 둘째에 서 있습니다. 지호와 예원이 사이에는 몇 명이 서 있을까요?

2. 9명의 친구들이 한 줄로 나란히 서 있습니다. 지나는 왼쪽에서 셋째에 서 있고, 지나와 시유 사이에는 2명이 서 있습니다. 시유는 오른쪽에서 몇째에 서 있을까요?

그림 그려 모두 몇 명인지 구하기

지호와 친구들이 한 줄로 서 있습니다. 지호가 앞에서 둘째, 뒤에서 넷째에 서 있다면 줄을 서 있는 사람은 모두 몇 명일까요?

1. 지호가 서 있는 위치에 맞게 지호 앞과 뒤로 ◯를 그립니다.

2. ◯의 개수를 세어 모두 몇 명인지 구합니다.

줄을 서 있는 사람: 5 명

---

1. 버스정류장에 사람들이 한 줄로 서 있습니다. 지한이가 앞에서도 넷째, 뒤에서도 넷째에 서 있다면 줄을 서 있는 사람은 모두 몇 명일까요?

2. 친구들이 달리기 시합을 했습니다. 4등으로 들어온 수아는 뒤에서 셋째로 들어왔습니다. 달리기 시합을 한 친구는 모두 몇 명일까요?

마디 찾아 패턴 완성하기

1. 되풀이되는 규칙을 정하여 순서대로 늘어놓은 것을 패턴이라고 하고, 되풀이되는 부분을 패턴의 마디라고 합니다.

마디

마디

1. 규칙을 찾아 빈 곳에 알맞은 모양을 그려 넣으세요.

(1)
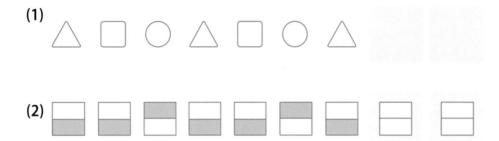

(2)

2. 규칙에 따라 놓이지 <u>않은</u> 모양 하나를 찾아 ✕표 하세요.

(1)

(2)

몇 번째 모양

1. 패턴에서 몇 번째 모양을 구할 때는 패턴의 마디를 찾아 몇 번째까지 모양을 계속 그려 나갑니다.

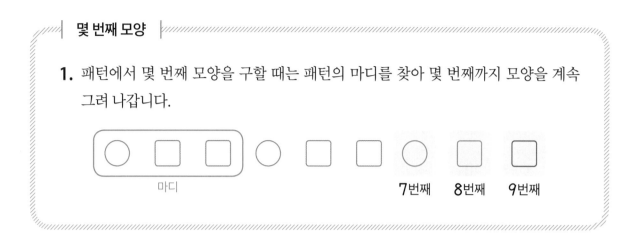

1. 규칙에 따라 모양을 그리고 있습니다. **8**번째 모양을 그려 보세요.

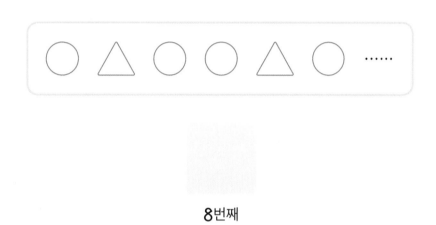

8번째

2. 토끼, 다람쥐, 여우가 규칙에 따라 한 줄로 서 있습니다. 모두 **9**마리가 서 있다면 마지막에 서 있는 동물은 무엇일까요?

토끼   다람쥐   여우

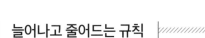

늘어나고 줄어드는 규칙

1. 개수가 늘어나는 패턴

➡ |개씩 늘어나는 규칙입니다.

2. 개수가 줄어드는 패턴

➡ **2**개씩 줄어드는 규칙입니다.

---

1. 규칙을 찾아 빈 곳에 알맞은 모양을 그려 보세요.

2. 규칙에 따라 **4**번째 모양을 만들려면 쌓기나무가 몇 개 필요할까요?

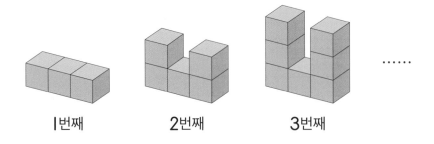

|번째   2번째   3번째   ……

모양이 커지는 규칙

1. 모양이 커지는 규칙을 찾을 때는 늘어나는 개수와 만들어지는 전체 모양의 규칙을 모두 찾습니다.

➡ ☐이 왼쪽과 위로 1개씩 늘어납니다.

➡ ☐이 위에서부터 1개, 2개, 3개……씩 늘어납니다.

1. 모양이 커지는 규칙을 찾아 다음에 올 모양을 그려 보세요.

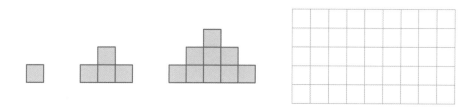

2. 규칙에 따라 4번째 모양을 만들려면 바둑돌이 몇 개 필요할까요?

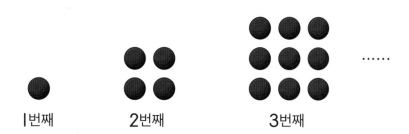

1번째   2번째   3번째

백판 수 배열표

1. 가로 10칸, 세로 10칸인 표에 1부터 100까지의 수를 순서대로 써넣은 것을 백판 수 배열표라고 합니다.

2. 오른쪽으로 한 칸씩 가면 1씩 커지고, 왼쪽으로 한 칸씩 가면 1씩 작아집니다.
   아래로 한 칸씩 가면 10씩 커지고, 위로 한 칸씩 가면 10씩 작아집니다.

1	2	3	4	5	6	7	8	9	10
11	12	13	14	15	16	17	18	19	20
21	22	23	24	25	26	27	28	29	30
31	32	33	34	35	36	37	38	39	40

1. 백판 수 배열표의 일부입니다. 색칠된 칸에 알맞은 수를 써넣으세요.

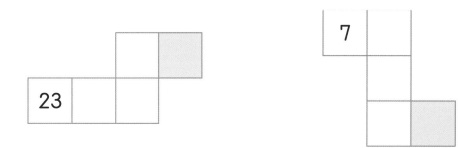

2. 백판 수 배열표의 일부입니다. 이 수 배열표에서 가장 큰 수는 58입니다. 백판 수 배열표를 완성해 보세요.

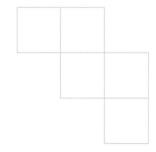

여러 가지 수 배열표

1. 일정한 규칙에 따라 수를 순서대로 써넣은 수 배열표

1	8	9	16
2	7	10	15
3	6	11	14
4	5	12	13

➡ 방향으로 수를 순서대로 써넣습니다.

2. 가로와 세로로 수가 몇 씩 커지거나 작아지는 수 배열표

1	2	3	4
3	4	5	6
5	6	7	8
7	8	9	10

➡ 오른쪽으로 1씩 커지고, 아래로 2씩 커집니다.

---

1. 어떤 규칙에 따라 수를 써넣습니다. ㉠, ㉡, ㉢, ㉣에 알맞은 수를 각각 구해 보세요.

(1)

1	2	3	4	5
㉠			7	6
11			14	15
	㉡			16

(2)

9	7	5	3	1
10	8	6		
11	㉢			3
			㉣	4

㉠ = [　　]　　㉡ = [　　]　　㉢ = [　　]　　㉣ = [　　]

영재
사고력수학
필즈

예비 초등학생을 위한
킨더 상 _ 수·연산, 패턴

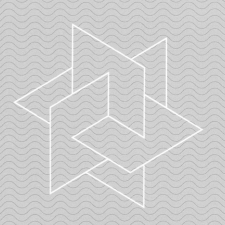

매쓰러닝

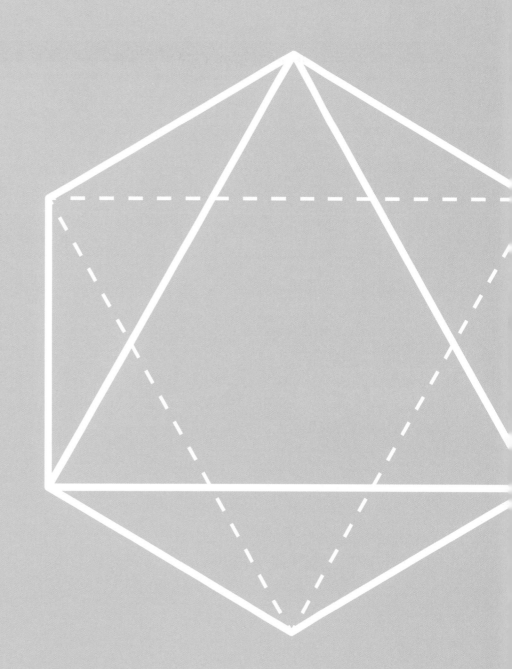

정답 및 해설

01 모으기와 가르기

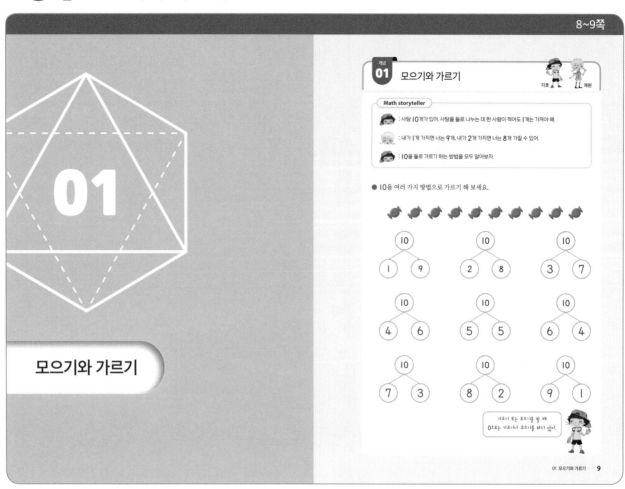

01

모으기와 가르기

10을 두 수로 가르기 하는 방법은 모두 **9**가지입니다.
그중에서 10을 똑같은 두 수로 가르기 하는 것은 (**5, 5**)
입니다.

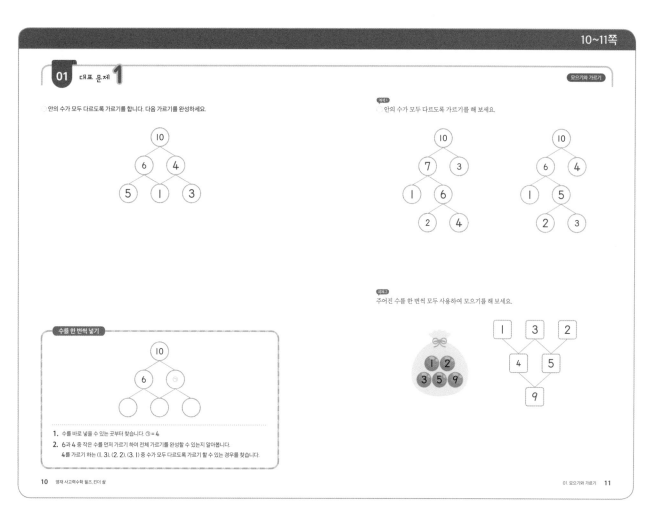

1) 10을 (6, 4)로 가르기 합니다.

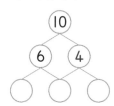

2) 6과 4 중 작은 수인 4는 (1, 3), (2, 2), (3, 1)로 가르기 할 수 있고, 이 중 수가 모두 다르도록 가르기를 만들 수 있는 경우는 (1, 3)입니다.

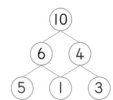

예제 1

수를 넣을 수 있는 곳부터 넣고, 중복된 수를 제외하면서 가르기를 합니다.

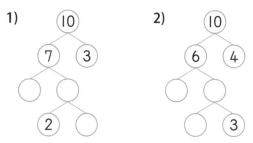

중복된 수를 제외하면 7은 (1, 6)으로 가르기 합니다.

중복된 수를 제외하면 6은 (1, 5)로 가르기 합니다.

예제 2

1) 가장 큰 수인 9를 가장 아래에 넣습니다.
2) (4, 5)를 모으기 하면 9입니다.
3) 남은 세 수를 가장 위쪽 칸에 알맞게 넣습니다.

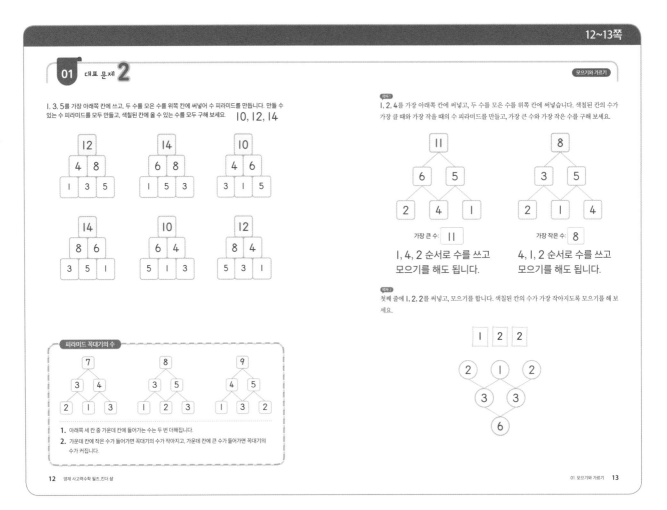

아래쪽 가운데 칸에 1을 넣으면 가장 위쪽 칸은 10,
아래쪽 가운데 칸에 3을 넣으면 가장 위쪽 칸은 12,
아래쪽 가운데 칸에 5를 넣으면 가장 위쪽 칸은 14입니다.

예제 1

1) 1, 2, 4 중 가장 큰 수인 4를 가운데 칸에 써넣으면
꼭대기의 수가 커집니다.

2) 1, 2, 4 중 가장 작은 수인 1을 가운데 칸에 써넣으면
꼭대기의 수가 작아집니다.

예제 2

색칠된 칸의 수가 작아지려면 위쪽 가운데 칸에 가장 작은
수인 1을 넣습니다.

01 확인 문제

1 ◯ 안의 수가 모두 다르도록 가르기를 해 보세요.

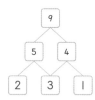

2 7을 두 수로 가르기 할 때 ㉠보다 ㉡이 더 크도록 가르기 하는 방법은 모두 몇 가지일까요?   **3가지**

3 ◯ 안의 수가 모두 다르도록 모으기를 해 보세요.

4 1, 3, 4를 첫째 줄에 알맞게 써넣어 모으기를 완성해 보세요.

| 1 | 3 | 4 |

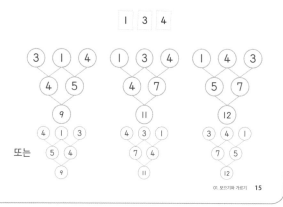

또는

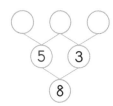

---

1 4는 (1, 3), (2, 2), (3, 1)로 가르기 할 수 있고, 이 중 수가 모두 다르도록 가르기를 만들 수 있는 경우는 (3, 1)입니다.

2 (1, 6), (2, 5), (3, 4), (4, 3), (5, 2), (6, 1) 중 ㉠보다 ㉡이 큰 경우는 3가지입니다.

3 1) 5와 3을 모으면 8입니다.

```
  ◯   ◯   ◯
    5     3
       8
```

2) 모으기를 하여 3이 되려면 (1, 2), (2, 1)을 모으면 되고, 중복되지 않게 수를 넣으려면 (1, 2)를 모아야 합니다.

4 첫째 줄 세 칸 중 가운데 칸에 들어가는 수가 작으면 아래쪽 수가 작아지고, 가운데 들어가는 수가 크면 아래쪽 수가 커집니다.
1) 가운데 수가 1 → 아래쪽 수는 9
2) 가운데 수가 3 → 아래쪽 수는 11
3) 가운데 수가 4 → 아래쪽 수는 12

01 확인 문제

5 □ 안의 수가 모두 다르도록 가르기를 해 보세요.

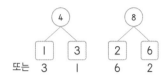

또는

6 주어진 수 I, 2, 4를 가장 아래쪽 칸에 써넣고, 두 수를 모은 수를 위쪽 칸에 써넣어 수 피라미드를 만듭니다. 색칠된 칸에 가장 작은 수가 올 때 ㉠에 들어갈 수는 무엇일까요?

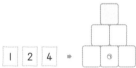

7 I부터 9까지의 수가 한 번씩 모두 들어가도록 가르기를 완성해 보세요.

8 2, 3, 4를 가장 아래쪽 칸에 써넣고, 두 수를 모은 수를 위쪽 칸에 써넣어 수 피라미드를 만듭니다. 색칠된 칸의 수가 모두 다르도록 수 피라미드 3개를 만들어 보세요.

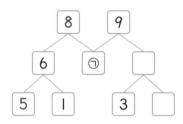

4, 2, 3 순서로 수를 쓰고 모으기를 해도 됩니다.

4, 3, 2 순서로 수를 쓰고 모으기를 해도 됩니다.

3, 4, 2 순서로 수를 쓰고 모으기를 해도 됩니다.

5 1) 4는 (I, 3) 또는 (3, I)로 가르기 합니다.
2) 8을 두 수로 가른 것 중에 I, 3이 들어가는 것과 (4, 4)로 가르는 것을 제외하면 8은 (2, 6) 또는 (6, 2)로 가르기 할 수 있습니다.

6 1) 꼭대기의 수가 가장 작아지려면 아래쪽 세 칸 중 가운데 칸에 가장 작은 수를 넣어야 합니다.
2) 가운데 칸에 I을 넣고 수 피라미드를 만들면 다음과 같습니다.

7 1) 수를 넣을 수 있는 곳부터 넣습니다.
6을 (5, I)로 가르기 합니다.
2) I과 3은 이미 사용했으므로 ㉠은 2입니다.

8 아래쪽 세 칸 중 가운데 칸에 들어가는 수를 서로 다르게 하면서 수 피라미드를 만듭니다.
1) 가운데 수가 2 → 색칠된 칸의 수는 II
2) 가운데 수가 3 → 색칠된 칸의 수는 I2
3) 가운데 수가 4 → 색칠된 칸의 수는 I3

01 심화 문제 모으기와 가르기

1 다음 조건을 만족하도록 10을 세 수로 가르기 해 보세요.

- 2개의 □에 들어가는 수는 같습니다.
- □는 □보다 1 큰 수입니다.

2 6은 서로 다른 세 수 1, 2, 3으로 가르기 할 수 있습니다. 8을 두 가지 방법으로 서로 다른 세 수로 가르기 해 보세요. (가르기 한 수의 순서만 다른 것은 한 가지로 봅니다.)

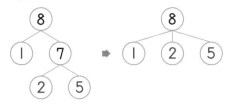

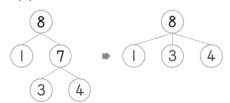

세 수의 순서를 바꾸어도 정답입니다.

01 경시 기출 유형 모으기와 가르기

● ㉠, ㉡, ㉢은 1, 2, 3 중 서로 다른 수를 나타냅니다. ㉠, ㉡, ㉢에 알맞은 수를 각각 구해 보세요.

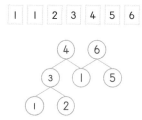

㉠ : 1   ㉡ : 2   ㉢ : 3

● 1은 두 번 들어가고, 2, 3, 4, 5, 6은 한 번씩 들어가도록 가르기를 완성해 보세요.

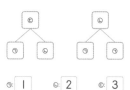

1 똑같은 두 수를 모으기 했을 때 10보다 작은 경우를 찾습니다.

(1, 1)을 모으기 하면 2 → (1, 1, 8)

(2, 2)를 모으기 하면 4 → (2, 2, 6)

(3, 3)을 모으기 하면 6 → (3, 3, 4)

2 두 수로 먼저 가르기 한 다음, 한 수를 한 번 더 가르기 합니다.

1) 8을 (1, 7)로 가르기 하고, 7을 (2, 5)로 가르기 합니다.

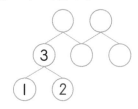

2) 8을 (1, 7)로 가르기 하고, 7을 (3, 4)로 가르기 합니다.

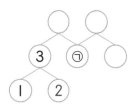

● **1)** ㉡은 같은 두 수로 가르기 하므로 ㉡은 2이고, (1, 1)로 가르기 합니다. ㉠ = 1

2) ㉢은 (㉠, ㉡)으로 가르기 하므로 ㉢ = 3입니다.

● **1)** 수를 넣을 수 있는 칸부터 넣습니다.
3은 (1, 2)로 가르기 합니다.

2) 1, 4, 5, 6 중 ㉠에 들어갈 수 있는 수는 1 뿐입니다.

02 덧셈식과 뺄셈식

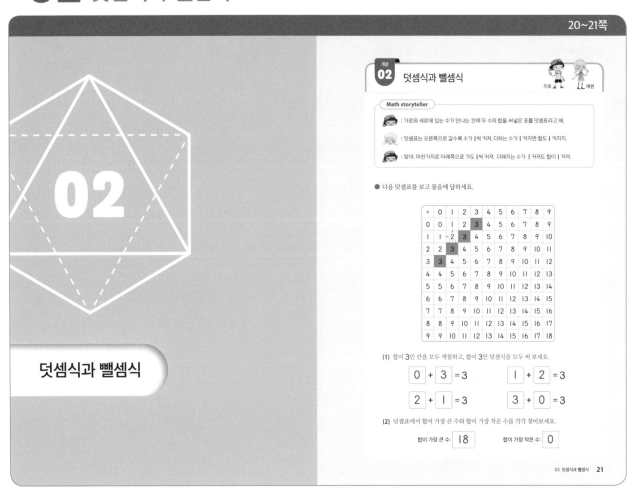

1) 덧셈표에서 ✓ 방향으로 적힌 합은 모두 같습니다.
2) 덧셈표의 가장 오른쪽 아래 칸의 18이 가장 큰 합, 왼쪽 위 칸의 0이 가장 작은 합입니다.

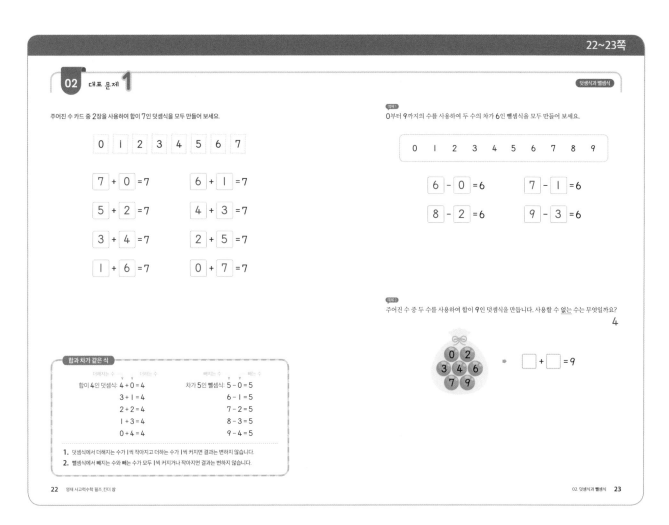

1) 수 카드는 0부터 7까지 연속된 수가 있습니다.

2) 더해지는 수에 가장 큰 수인 7을 넣어 덧셈식을 만듭니다. → $7 + 0 = 7$

3) 더해지는 수를 1씩 작게 하고, 더하는 수를 1씩 크게 하면서 만들 수 있는 덧셈식을 모두 만듭니다. 합이 7인 덧셈식은 모두 8개 만들 수 있습니다.

예제 1

1) 빼지는 수에 넣을 수 있는 가장 작은 수인 6을 넣어 뺄셈식을 만듭니다. → $6 - 0 = 6$

2) 빼지는 수와 빼는 수를 각각 1씩 크게 하면서 만들 수 있는 뺄셈식을 모두 만듭니다. 차가 6인 뺄셈식은 모두 4개 만들 수 있습니다.

예제 2

1) $0 + 9 = 9$ $2 + 7 = 9$ $3 + 6 = 9$

2) 남은 수는 4입니다.

02 대표 문제 2

덧셈식과 뺄셈식

주어진 수 중 서로 다른 두 수를 사용하여 합이 가장 큰 식과 합이 가장 작은 식을 만들어 보세요.

$$2 \quad 3 \quad 4 \quad 5$$

합이 가장 큰 식: $5 + 4 = 9$ 또는 $4 + 5 = 9$

합이 가장 작은 식: $2 + 3 = 5$ 또는 $3 + 2 = 5$

예제 1

주어진 수 카드 중 서로 다른 2장을 사용하여 차가 가장 큰 식과 차가 가장 작은 식을 만들어 보세요.

$$2 \quad 4 \quad 8 \quad 9$$

차가 가장 큰 식: $9 - 2 = 7$

차가 가장 작은 식: $9 - 8 = 1$

예제 2

주어진 수 중 서로 다른 세 수를 사용하여 계산 결과가 가장 큰 식을 만들어 보세요.

$$3 \quad 4 \quad 5 \quad 6$$

$$5 + 6 - 3 = 8$$
또는 $6 + 5 - 3 = 8$

합이 크고 작은 식, 차가 크고 작은 식

$$1 \quad 2 \quad 5 \quad 7$$

합이 가장 큰 식: $7 + 5 = 12$ 　차가 가장 큰 식: $7 - 1 = 6$

합이 가장 작은 식: $1 + 2 = 3$ 　차가 가장 작은 식: $2 - 1 = 1$

1. 서로 다른 두 수로 만들 수 있는 합이 가장 큰 식은 (가장 큰 수) + (두 번째 큰 수)이고,
합이 가장 작은 식은 (가장 작은 수) + (두 번째 작은 수)입니다.

2. 서로 다른 두 수로 만들 수 있는 차가 가장 큰 식은 (가장 큰 수) - (가장 작은 수)이고,
차가 가장 작은 식은 가장 가까운 두 수의 차입니다.

1) 가장 큰 수와 두 번째 큰 수를 더하면 합이 가장 커집니다. → $5 + 4 = 9$

2) 가장 작은 수와 두 번째 작은 수를 더하면 합이 가장 작아집니다. → $2 + 3 = 5$

예제 1

1) 가장 큰 수에서 가장 작은 수를 빼면 차가 가장 커집니다. → $9 - 2 = 7$

2) 가장 가까운 두 수의 차를 구하면 차가 가장 작아집니다. → $9 - 8 = 1$

예제 2

더하는 수를 크게 하고, 빼는 수를 작게 합니다.

02 확인 문제

1 알맞은 두 수를 모두 찾아 선으로 이어 보세요.

두 수의 합이 9

두 수의 차가 4

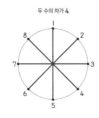

3 주어진 수 카드 중에서 서로 다른 2장을 뽑아 합이 가장 큰 식과 합이 가장 작은 식을 만들어 보세요.

합이 가장 큰 식: $7 + 5 = 12$ 또는 $5 + 7 = 12$

합이 가장 작은 식: $1 + 3 = 4$ 또는 $3 + 1 = 4$

2 0부터 5까지의 수 중 두 수를 사용하여 덧셈식을 만듭니다. 합이 5인 덧셈식을 모두 만들어 보세요. 만들 수 있는 덧셈식은 모두 몇 개일까요?

$5 + 0 = 5$ $4 + 1 = 5$

$3 + 2 = 5$ $2 + 3 = 5$

$1 + 4 = 5$ $0 + 5 = 5$

➡ 만들 수 있는 덧셈식: 6 개

4 계산기를 사용하여 차가 가장 큰 식과 차가 가장 작은 식을 계산하려고 합니다. 노란색 수 버튼 중 서로 다른 2개를 사용하여 식을 만들어 보세요.

차가 가장 큰 식: $9 - 1 = 8$

차가 가장 작은 식: $6 - 4 = 2$

---

1 **1)** 합이 9인 두 수는 $(1, 8)$, $(2, 7)$, $(3, 6)$, $(4, 5)$

2) 차가 4인 두 수는 $(5, 1)$, $(6, 2)$, $(7, 3)$, $(8, 4)$

2 **1)** 더해지는 수에 가장 큰 수인 5를 넣어 덧셈식을 만듭니다. → $5 + 0 = 5$

2) 더해지는 수를 1씩 작게 하고, 더하는 수를 1씩 크게 하면서 만들 수 있는 덧셈식을 모두 만듭니다. 합이 5인 덧셈식은 모두 6개 만들 수 있습니다.

3 **1)** 가장 큰 수와 두 번째 큰 수를 더하면 합이 가장 커집니다. → $7 + 5 = 12$

2) 가장 작은 수와 두 번째 작은 수를 더하면 합이 가장 작아집니다. → $1 + 3 = 4$

4 **1)** 1, 4, 6, 9 중 두 수를 사용합니다.

2) 가장 큰 수에서 가장 작은 수를 빼면 차가 가장 커집니다. → $9 - 1 = 8$

3) 가장 가까운 두 수의 차를 구하면 차가 가장 작아집니다. → $6 - 4 = 2$

확인 문제

5 주어진 수 카드 중 서로 다른 2장을 사용하여 10에서 빼는 뺄셈식을 만듭니다. 사용할 수 없는 수 카드는 무엇일까요? 5

$$10 - \boxed{} = \boxed{}$$

6 주어진 수 카드 중 서로 다른 2장을 뽑아 두 수의 합 또는 차를 구합니다. 나올 수 있는 가장 작은 수와 가장 큰 수를 구해 보세요.

가장 작은 수: $\boxed{1}$ 가장 큰 수: $\boxed{14}$

7 십의 자리 숫자가 ■, 일의 자리 숫자가 ▲인 두 자리 수 ■▲이 있습니다. ■+▲=6인 경우 중 가장 작은 두 자리 수 ■▲을 구해 보세요. 15

두 자리 수 ■▲ ➡ ■+▲=6

8 주어진 수와 +, −를 한 번씩 모두 사용하여 계산 결과가 가장 작은 식을 만들고 계산해 보세요.

$$5 + 4 - 6 = 3$$
또는 $4+5-6=3$

---

5 **1)** $10-1=9$ $10-6=4$
$10-2=8$ $10-7=3$
$10-3=7$ $10-8=2$
$10-4=6$ $10-9=1$
2) $10-5=5$는 5를 2번 사용하므로 안됩니다.

6 **1)** 가장 작은 수를 구하려면 두 수의 차가 가장 작도록 만듭니다. → $4-3=1$
2) 가장 큰 수를 구하려면 두 수의 합이 가장 크도록 만듭니다. → $8+6=14$

7 **1)** 두 수의 합이 6인 경우 중에서 ■이 가장 작은 경우는 0(0+6=6)이지만 ■이 0이면 두 자리 수가 안되므로 ■은 1입니다.
2) $1+5=6$, 두 자리 수 ■▲은 15입니다.

8 **1)** 계산 결과가 작으려면 더하는 수를 작게 하고, 빼는 수를 크게 합니다.
2) 4와 5를 더하고, 가장 큰 수인 6을 뺍니다.

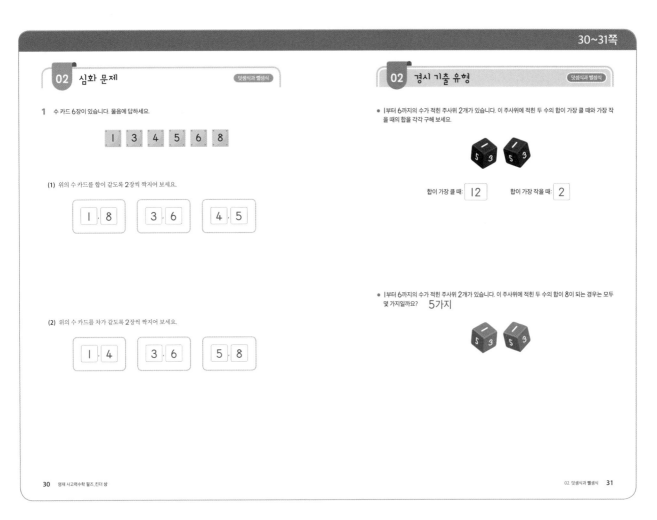

02 심화 문제 덧셈식과 뺄셈식

1 수 카드 6장이 있습니다. 물음에 답하세요.

| 1 | 3 | 4 | 5 | 6 | 8 |

(1) 위의 수 카드를 합이 같도록 2장씩 짝지어 보세요.

| 1 . 8 | 3 . 6 | 4 . 5 |

(2) 위의 수 카드를 차가 같도록 2장씩 짝지어 보세요.

| 1 . 4 | 3 . 6 | 5 . 8 |

02 경시 기출 유형 덧셈식과 뺄셈식

● 1부터 6까지의 수가 적힌 주사위 2개가 있습니다. 이 주사위에 적힌 두 수의 합이 가장 클 때와 가장 작을 때의 합을 각각 구해 보세요.

합이 가장 클 때: 12   합이 가장 작을 때: 2

● 1부터 6까지의 수가 적힌 주사위 2개가 있습니다. 이 주사위에 적힌 두 수의 합이 8이 되는 경우는 모두 몇 가지일까요? 5가지

1 **(1)** 가장 큰 수와 가장 작은 수를 더하면 9입니다. 합이 9가 되도록 짝짓습니다.

(2) 1과 3을 짝지으면 차가 2이고, 나머지 네 수로 차가 2가 되도록 만들 수 없습니다. 1, 4를 짝지으면 차가 3이고, 나머지 수 3, 5, 6, 8 중에서 3과 6, 5와 8을 짝지으면 차가 3이 되도록 만들 수 있습니다.

● **1)** 주사위 2개의 수를 더하므로 같은 수를 더할 수 있습니다.

2) 가장 큰 두 수를 더하면 합이 가장 커집니다.
→ $6 + 6 = 12$

3) 가장 작은 두 수를 더하면 합이 가장 작아집니다.
→ $1 + 1 = 2$

● **1)** 더해지는 수에 가장 큰 수인 6을 넣으면 $6 + 2 = 8$

2) 더해지는 수를 1씩 작게 하고, 더하는 수를 1씩 크게 하면서 만들 수 있는 덧셈식을 모두 만듭니다.
$5 + 3 = 8$, $4 + 4 = 8$, $3 + 5 = 8$, $2 + 6 = 8$

3) 주사위는 1부터 6까지의 수가 적혀 있으므로 0 또는 6보다 큰 수를 사용할 수 없습니다.

03 목표수 만들기

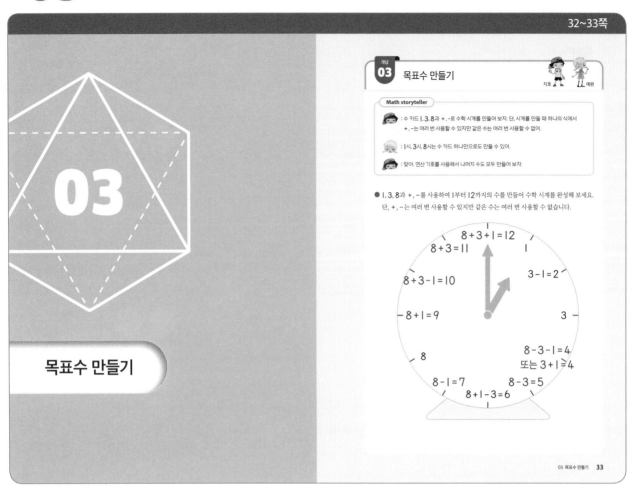

시계는 1부터 12까지의 수가 있습니다.
서로 다른 두 수 또는 세 수를 더하거나 빼서 시계에서 빠진
수를 만들어 봅니다.

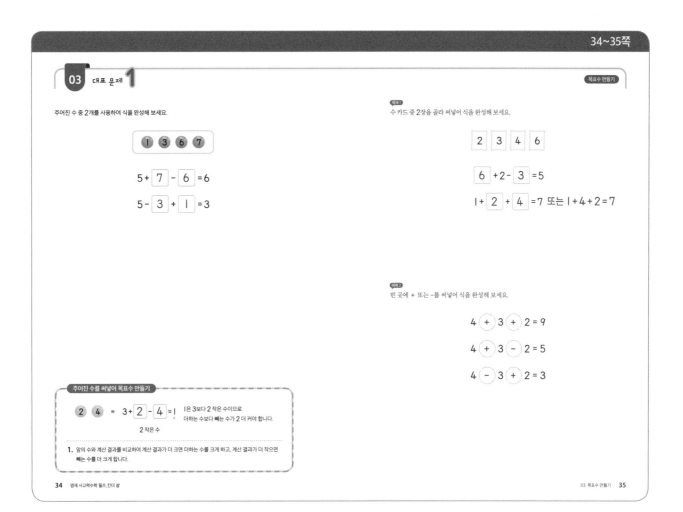

03 대표 문제 1

목표수 만들기

주어진 수 중 2개를 사용하여 식을 완성해 보세요.

① ③ ⑥ ⑦

$5 + \boxed{7} - \boxed{6} = 6$

$5 - \boxed{3} + \boxed{1} = 3$

예제1

수 카드 중 2장을 골라 써넣어 식을 완성해 보세요.

2 3 4 6

$\boxed{6} + 2 - \boxed{3} = 5$

$1 + \boxed{2} + \boxed{4} = 7$ 또는 $1 + 4 + 2 = 7$

예제 2

빈 곳에 + 또는 -를 써넣어 식을 완성해 보세요.

$4 \left(+\right) 3 \left(+\right) 2 = 9$

$4 \left(+\right) 3 \left(-\right) 2 = 5$

$4 \left(-\right) 3 \left(+\right) 2 = 3$

주어진 수를 써넣어 목표수 만들기

② ④ ● $3 + \boxed{2} - \boxed{4} = 1$

2 작은 수

1은 3보다 2 작은 수이므로
더하는 수보다 빼는 수가 2 더 커야 합니다.

1. 앞의 수와 계산 결과를 비교하여 계산 결과가 더 크면 더하는 수를 크게 하고, 계산 결과가 더 작으면 빼는 수를 더 크게 합니다.

34 영재 사고력수학 필즈_킨더 상

03. 목표수 만들기 35

1) 6은 5보다 1 큰 수이므로(앞의 수보다 계산 결과가 커졌으므로) 주어진 식에서 더하는 수가 빼는 수보다 1 더 커야 합니다. 따라서 1 차이 나는 6, 7을 빈칸에 알맞게 써넣습니다.

$5 + \boxed{7} - \boxed{6} = 6$
큰 수 　작은 수

2) 3은 5보다 2 작은 수이므로(앞의 수보다 계산 결과가 작아졌으므로) 주어진 식에서 빼는 수가 더하는 수보다 2 더 커야 합니다. 따라서 2 차이 나는 1, 3을 빈칸에 알맞게 써넣습니다.

$5 - \boxed{3} + \boxed{1} = 3$
큰 수 　작은 수

예제 1

1) 5는 2보다 3 큰 수이므로 주어진 식에서 가장 앞의 더해지는 수가 빼는 수보다 3 더 커야 합니다. 따라서 3 차이 나는 3, 6을 빈칸에 알맞게 써넣습니다.

$\boxed{6} + 2 - \boxed{3} = 5$
큰 수 　　작은 수

2) 7은 1보다 6 큰 수이므로 더하는 두 수의 합이 6이 되어야 합니다. 따라서 두 수의 합이 6인 2, 4를 빈칸에 써넣습니다.

$1 + \boxed{2} + \boxed{4} = 7$ 　　　$1 + \boxed{4} + \boxed{2} = 7$

예제 2

1) 9는 4보다 5 큰 수이므로 4에 3, 2를 모두 더합니다.

2) 5는 4보다 1 큰 수이므로 4에 3을 더하고 2를 뺍니다.

3) 3은 4보다 1 작은 수이므로 4에서 3을 빼고 2를 더합니다.

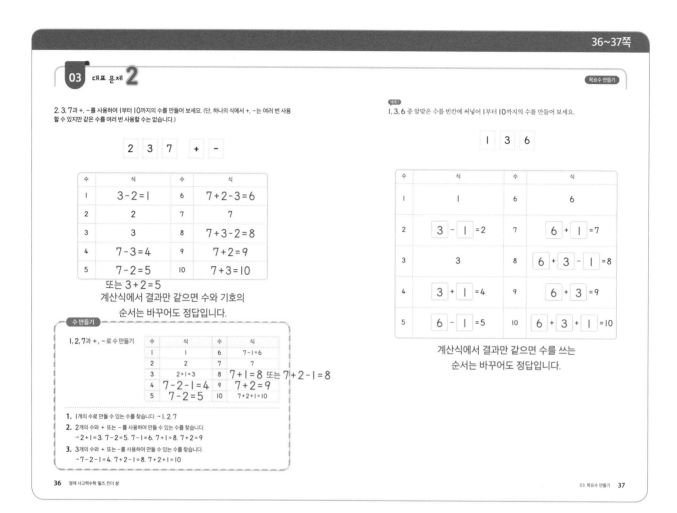

1) 하나의 수로 만들 수 있는 수: 2, 3, 7

2) 두 수로 만들 수 있는 수:
   $7-3=4$, $3+2=5$, $7-2=5$,
   $7+2=9$, $7+3=10$

3) 세 수로 만들 수 있는 수:
   $7+2-3=6$, $7+3-2=8$

03 확인 문제

목표수 만들기

1 주어진 수 카드를 한 번씩 사용하여 식을 완성해 보세요.

2 3 ➡ 5 + 3 - 2 = 6

4 7 ➡ 8 - 7 + 4 = 5

2 주머니 안의 수를 한 번씩 모두 써넣어 식 3개를 완성해 보세요.

4 - 2 = 2

3 + 5 = 8 또는 5 + 3 = 8

6 - 1 = 5

3 1, 2, 4와 +를 사용하여 여러 가지 수를 만들려고 합니다. 물음에 답하세요. (단, 하나의 식에서 +는 여러 번 사용할 수 있지만 같은 수를 여러 번 사용할 수는 없습니다.)

1 2 4 +

(1) 만들 수 있는 수를 모두 만들어 보세요.

수	식	수	식
1	1	5	4 + 1 = 5
2	2	6	4 + 2 = 6
3	2 + 1 = 3	7	4 + 2 + 1 = 7
4	4	8	×

더하는 순서는 바꾸어도 정답입니다.

(2) 만들 수 있는 수 중 가장 큰 수는 얼마일까요? 7

1 **1)** 6은 5보다 1 큰 수이므로(앞의 수보다 계산 결과가 커졌으므로) 주어진 식에서 더하는 수가 빼는 수보다 1 더 커야 합니다. 따라서 3을 더하고 2를 뺍니다.

2) 5는 8보다 3 작은 수이므로(앞의 수보다 계산 결과가 작아졌으므로) 주어진 식에서 빼는 수가 더하는 수보다 3 더 커야 합니다. 따라서 7을 빼고 4를 더합니다.

2 **1)** 차가 5인 경우는 6 - 1 = 5뿐입니다.

2) 1, 6을 제외하고 합이 8인 경우는 3 + 5 = 8뿐입니다.

3) 남은 2, 4로 4 - 2 = 2를 만듭니다.

3 **(1)** 하나의 수로 만들 수 있는 수: 1, 2, 4
두 수로 만들 수 있는 수:
2 + 1 = 3, 4 + 1 = 5, 4 + 2 = 6
세 수로 만들 수 있는 수:
4 + 2 + 1 = 7

(2) 세 수를 모두 더했을 때 가장 큰 수를 만들 수 있습니다.

03 확인 문제

4 주어진 수 카드 중 서로 다른 2장을 뽑아 합 또는 차를 구합니다. 1부터 9까지의 수 중에서 나올 수 없는 수에 모두 ×표 하세요.

| 1 | 2 | 7 |

1 ✗ 3 ✗ 5 6 ✗ 8 9

5 □안에 3, 4, 7을 한 번씩 써넣어 식을 완성해 보세요.

| 3 | 4 | 7 |

3 + 4 - 7 = 0 또는 4 + 3 - 7

3 + 7 - 4 = 6 또는 7 + 3 - 4

4 + 7 - 3 = 8 또는 7 + 4 - 3

6 1, 3, 9와 +, -를 사용하여 1부터 13까지의 수를 만들어 보세요. (단, 하나의 식에서 +, -는 여러 번 사용할 수 있지만 같은 수를 여러 번 사용할 수는 없습니다.)

수	식	수	식
1	1	8	9 - 1 = 8
2	3 - 1 = 2	9	9
3	3	10	9 + 1 = 10
4	1 + 3 = 4	11	9 + 3 - 1 = 11
5	9 - 3 - 1 = 5	12	9 + 3 = 12
6	9 - 3 = 6	13	9 + 3 + 1 = 13
7	9 + 1 - 3 = 7		

계산식에서 결과만 같으면 수와 기호의
순서는 바꾸어도 정답입니다.

4   1 = 2 - 1   6 = 7 - 1

2 = ×   7 = ×

3 = 2 + 1   8 = 7 + 1

4 = ×   9 = 7 + 2

5 = 7 - 2

5 두 수를 더한 다음, 남은 수를 빼는 식으로 빼는 수가 클수록 계산 결과는 작아집니다.

0 = 3 + 4 - 7 또는 0 = 4 + 3 - 7

6 = 3 + 7 - 4 또는 6 = 7 + 3 - 4

8 = 4 + 7 - 3 또는 8 = 7 + 4 - 3

6 1) 하나의 수로 만들 수 있는 수: 1, 3, 9

2) 두 수로 만들 수 있는 수:

3 - 1 = 2, 3 + 1 = 4, 9 - 3 = 6,

9 - 1 = 8, 9 + 1 = 10, 9 + 3 = 12

3) 세 수로 만들 수 있는 수:

9 - 3 - 1 = 5, 9 + 1 - 3 = 7

9 + 3 - 1 = 11, 9 + 3 + 1 = 13

03 심화 문제　　목표수 만들기

1 볼링공에 적힌 수와 +, -를 사용하여 볼링핀에 적힌 수를 만듭니다. 물음에 답하세요.
(단, 하나의 식에서 +, -는 여러 번 사용할 수 있지만 같은 수를 여러 번 사용할 수는 없습니다.)

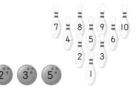

(1) 1부터 10까지의 수 중 만들 수 있는 수를 모두 만들어 보세요.

수	식	수	식
1	$3-2=1$	6	$5+3-2=6$
2	2	7	$5+2=7$
3	3	8	$5+3=8$
4	$5+2-3=4$	9	$\times$
5	5	10	$5+3+2=10$

계산식에서 결과만 같으면 수와 기호의
순서는 바꾸어도 정답입니다.

(2) 1부터 10까지의 수 중 만들 수 없는 수는 무엇일까요?　9

 **03 경시 기출 유형**　　목표수 만들기

● 1, 2, 6, 8 중 서로 다른 3개의 수를 사용하여 다음과 같이 결과가 9인 식을 만들었습니다. 사용하지 않은 수는 무엇일까요?　6

● ○ 안에는 + 또는 -가 들어갑니다. 나올 수 있는 계산 결과를 모두 구해 보세요.　4, 6, 8, 10

---

1 **1)** 하나의 수로 만들 수 있는 수: 2, 3, 5
　2) 두 수로 만들 수 있는 수:
　　$3-2=1$, $5+2=7$, $5+3=8$
　3) 세 수로 만들 수 있는 수:
　　$5+2-3=4$, $5+3-2=6$, $5+3+2=10$
　4) 1부터 10까지의 수 중 만들 수 없는 수는 9입니다.

● **1)** 앞쪽의 더하는 두 수는 9보다 커야 합니다.
　2) $6+8=14$에서 5를 빼면 9인데 5는 없습니다.
　3) $2+8=10$에서 1을 빼면 9이므로 사용하지 않은
　　수는 6입니다.
　　$2+8-1=9$

● **1)** +를 2개 넣는 경우: $7+1+2=10$
　2) -를 2개 넣는 경우: $7-1-2=4$
　3) +, -를 1개씩 넣는 경우: $7+1-2=6$
　　　　　　　　　　　　$7-1+2=8$

04 줄 서기

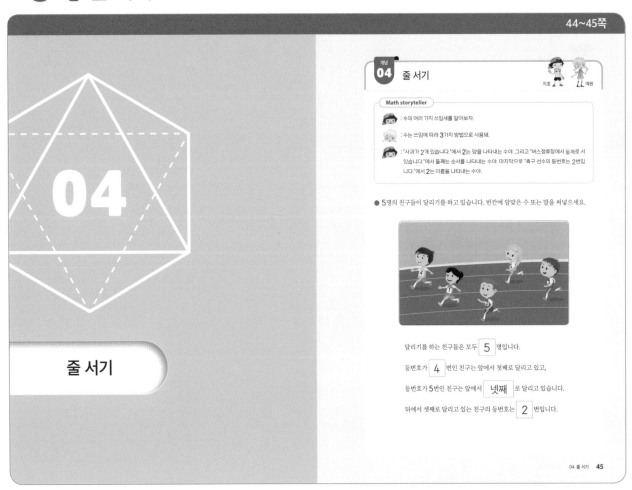

달리기를 하는 친구들은 모두 **5**명(양의 수)입니다.
등번호가 **4**번(이름수)인 친구는 앞에서 **첫째**(순서수)로 달리고 있고,
등번호가 **5**번(이름수)인 친구는 앞에서 **넷째**(순서수)로 달리고 있습니다.
뒤에서 **셋째**(순서수)로 달리고 있는 친구의 등번호는 **2**번(이름수)입니다.

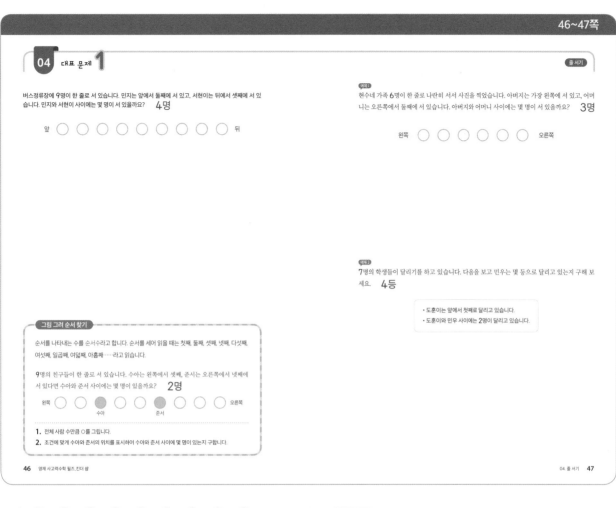

04 대표 문제 1 줄 서기

버스정류장에 9명이 한 줄로 서 있습니다. 민지는 앞에서 둘째에 서 있고, 서현이는 뒤에서 셋째에 서 있습니다. 민지와 서현이 사이에는 몇 명이 서 있을까요? **4명**

앞 ○ ○ ○ ○ ○ ○ ○ ○ ○ 뒤

그림 그려 순서 찾기

순서를 나타내는 수를 순서수라고 합니다. 순서를 세어 읽을 때는 첫째, 둘째, 셋째, 넷째, 다섯째, 여섯째, 일곱째, 여덟째, 아홉째……라고 읽습니다.

9명의 친구들이 한 줄로 서 있습니다. 수아는 왼쪽에서 셋째, 준서는 오른쪽에서 넷째에 서 있다면 수아와 준서 사이에는 몇 명이 있을까요? **2명**

왼쪽 ○ ○ ● ○ ○ ● ○ ○ ○ 오른쪽
　　　　　수아　　　　준서

1. 전체 사람 수만큼 ○를 그립니다.
2. 조건에 맞게 수아와 준서의 위치를 표시하여 수아와 준서 사이에 몇 명이 있는지 구합니다.

예제 1

현수네 가족 6명이 한 줄로 나란히 서서 사진을 찍었습니다. 아버지는 가장 왼쪽에 서 있고, 어머니는 오른쪽에서 둘째에 서 있습니다. 아버지와 어머니 사이에는 몇 명이 서 있을까요? **3명**

왼쪽 ○ ○ ○ ○ ○ ○ 오른쪽

예제 2

7명의 학생들이 달리기를 하고 있습니다. 다음을 보고 민우는 몇 등으로 달리고 있는지 구해 보세요. **4등**

- 도훈이는 앞에서 첫째로 달리고 있습니다.
- 도훈이와 민우 사이에는 2명이 달리고 있습니다.

앞 ○ ● ○ ○ ○ ○ ● ○ ○ 뒤
　　민지　　　4명　　서현

예제 1

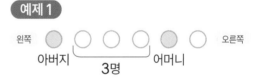

왼쪽 ● ○ ○ ○ ● ○ 오른쪽
　아버지　　3명　어머니

예제 2

1) 모두 7명이므로 ○ 7개를 그립니다.
2) 조건에 맞게 도훈이와 민우의 위치를 표시합니다.

1등　2등　3등　4등　5등　6등　7등
● ○ ○ ● ○ ○ ○
도훈　　　　민우

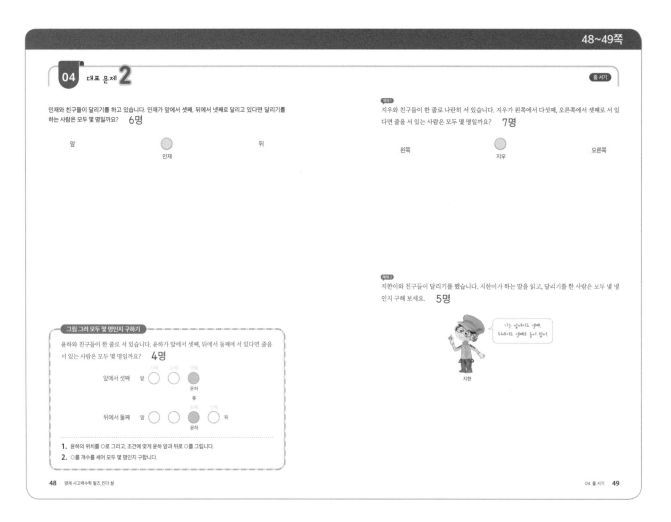

1) 조건에 맞게 민재 앞과 뒤로 ○를 그립니다.

첫째 둘째 셋째
앞 ○ ○ **민재** ○ ○ ○ 뒤
넷째 셋째 둘째 첫째

2) ○가 모두 6개이므로 달리기를 하는 사람은 모두 6명입니다.

[참고]

앞에서 셋째, 뒤에서 넷째로 달리고 있다면 달리기를 하는 사람은 $3 + 4 - 1 = 6$(명)입니다.

앞에서 셋째에서 민재가 포함되고, 뒤에서 넷째에서도 민재가 포함되므로 양쪽 순서수에 해당하는 수를 더한 다음 1을 빼면 전체 사람 수입니다.

예제 1

1) 지우는 왼쪽에서 다섯째에 있습니다.

첫째 둘째 셋째 넷째 다섯째
○ ○ ○ ○ **지우**

2) 지우는 오른쪽에서 셋째에 있습니다.

첫째 둘째 셋째 넷째 다섯째
○ ○ ○ ○ **지우** ○ ○
셋째 둘째 첫째

3) ○가 모두 7개이므로 줄을 서 있는 사람은 모두 7명입니다.

예제 2

1) 지한이는 앞에서 셋째, 뒤에서 셋째로 들어왔습니다.

첫째 둘째 셋째
○ ○ **지한** ○ ○
셋째 둘째 첫째

2) ○가 모두 5개이므로 달리기를 한 사람은 모두 5명입니다.

04 확인 문제

줄 서기

1 운동장에 9명의 친구들이 한 줄로 서 있습니다. 우영이가 앞에서 여섯째에 서 있다면 뒤에서는 몇째에 서 있을까요? **넷째**

앞 ◯ ◯ ◯ ◯ ◯ ◯ ◯ ◯ ◯ 뒤

3 5대의 버스가 한 줄로 나란히 달리고 있습니다. 지호가 탄 버스는 앞에서 첫째, 민서가 탄 버스는 뒤에서 첫째로 달리고 있다면 지호와 민서가 탄 버스 사이에는 몇 대의 버스가 있을까요? **3대**

2 7명의 친구들이 한 줄로 서 있습니다. 다음을 보고 수호가 서 있는 자리에 색칠해 보세요.

> • 예서는 뒤에서 셋째에 서 있습니다.
> • 예서와 수호 사이에 2명이 있습니다.

앞 ◯ ● ◯ ◯ ◯ ◯ ◯ 뒤

4 연수와 친구들이 한 줄로 나란히 서 있습니다. 연수가 왼쪽에서 넷째, 오른쪽에서 둘째에 서 있다면 줄을 서 있는 사람은 모두 몇 명일까요? **5명**

왼쪽　　　　　◯ 연수　　　　　오른쪽

---

1 1) 우영이는 앞에서 여섯째에 서 있습니다.

앞 ◯ ◯ ◯ ◯ ◯ ◯ ◯ ◯ ◯ 뒤
　　　　　　　　　　우영

2) 우영이의 위치를 표시하면 우영이는 뒤에서 넷째에 서 있습니다.

2 1) 뒤에서 셋째 칸에 예서의 자리를 표시합니다.

앞 ◯ ◯ ◯ ◯ ◯ ◯ ◯ 뒤
　　　　　　　　예서

2) 예서 자리에서 2칸 뛰어넘은 곳에 수호의 자리를 표시합니다.

앞 ◯ ● ◯ ◯ ◯ ◯ ◯ 뒤
　　　수호　　　　예서

3 1) 모두 5대이므로 ◯ 5개를 그립니다.

2) 조건에 맞게 지호와 민서가 탄 버스의 위치를 표시합니다.

◯ ◯ ◯ ◯ ◯
지호 └──── 3대 ────┘ 민서

4 1) 연수는 왼쪽에서 넷째, 오른쪽에서 둘째에 서 있습니다.

　　첫째 둘째 셋째 넷째
왼쪽 ◯ ◯ ◯ **연수** ◯ 오른쪽
　　　　　　　둘째 첫째

2) ◯가 모두 5개이므로 줄을 서 있는 사람은 모두 5명입니다.

04 확인 문제

5 6명의 친구들이 한 줄로 서 있습니다. 수민이는 앞에서 둘째에 서 있고, 은아의 뒤에는 아무도 없습니다. 수민이와 은아 사이에는 몇 명이 서 있을까요? **3명**

7 예원이와 친구들이 달리기를 했습니다. 예원이가 하는 말을 읽고, 달리기를 한 사람은 모두 몇 명인지 구해 보세요. **5명**

> 나는 1등을 했는데 뒤에서 는 다섯째로 들어 왔어.

예원

6 기차 칸이 앞뒤로 나란히 연결되어 있습니다. 4호차는 앞에서 넷째, 뒤에서 다섯째에 있다면 연결된 기차는 모두 몇 칸일까요? **8칸**

4호차

8 다음을 보고 로건이가 사는 아파트는 모두 몇 층인지 구해 보세요. **9층**

> • 로건이는 아래에서 넷째 층에 삽니다.
> • 로건이가 사는 층 위로 5층이 더 있습니다.

---

5 1) 모두 6명이므로 ○ 6개를 그립니다.

2) 소건에 맞게 수민이와 은아의 위치를 표시합니다.

수민 ─── 3명 ─── 은아

6 1) 4호차는 앞에서 넷째, 뒤에서 다섯째에 있습니다.

첫째 둘째 셋째 넷째
○ ○ ○ 4호차 ○ ○ ○ ○
다섯째 넷째 셋째 둘째 첫째

2) ○가 모두 8개이므로 기차는 모두 8칸입니다.

7 1) 예원이는 1등을 했으므로 예원이 앞에는 아무도 없습니다.

2) 예원이는 뒤에서 다섯째로 들어왔습니다.

첫째
예원 ○ ○ ○ ○
다섯째 넷째 셋째 둘째 첫째

3) ○가 모두 5개이므로 달리기를 한 사람은 모두 5명입니다.

8 1) 로건이는 4층에 삽니다.

2) 로건이가 사는 4층 위로 5개 층이 더 있습니다.

○ 9층
○ 8층
○ 7층
○ 6층
○ 5층
○ 4층
○ 3층
○ 2층
○ 1층

04 심화 문제 ^{종 서기}

1 1번부터 7번까지 등번호가 달린 선수 7명이 달리기를 했습니다. 친구들이 하는 말을 읽고, 1번 선수는 몇 등을 했는지 구해 보세요. **3등**

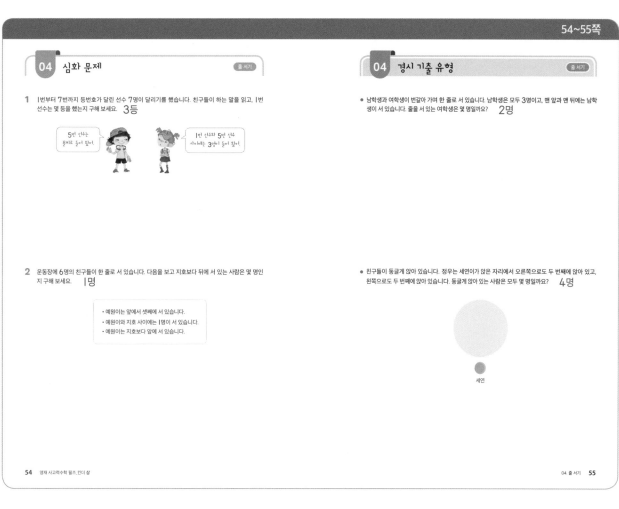

2 운동장에 6명의 친구들이 한 줄로 서 있습니다. 다음을 보고 지호보다 뒤에 서 있는 사람은 몇 명인지 구해 보세요. **1명**

- 예원이는 앞에서 셋째에 서 있습니다.
- 예원이와 지호 사이에는 1명이 서 있습니다.
- 예원이는 지호보다 앞에 서 있습니다.

04 경시 기출 유형 ^{종 서기}

● 남학생과 여학생이 번갈아 가며 한 줄로 서 있습니다. 남학생은 모두 3명이고, 맨 앞과 맨 뒤에는 남학생이 서 있습니다. 줄을 서 있는 여학생은 몇 명일까요? **2명**

● 친구들이 둥글게 앉아 있습니다. 정우는 세연이가 앉은 자리에서 오른쪽으로도 두 번째에 앉아 있고, 왼쪽으로도 두 번째에 앉아 있습니다. 둥글게 앉아 있는 사람은 모두 몇 명일까요? **4명**

세연

---

1 1) 모두 7명이므로 ○ 7개를 그립니다.
2) 5번 선수는 7등이고, 5번 선수 자리에서 앞으로 3칸 뛰어넘은 칸이 1번 선수 자리입니다.

1등	2등	3등	4등	5등	6등	7등
○	○	●	○	○	○	●
		1번				5번

2 1) 모두 6명이므로 ○ 6개를 그립니다.
2) 예원이는 앞에서 셋째에 서 있습니다.
3) 예원이 자리에서 한 칸 뛰어넘은 곳에 지호가 서 있는데 예원이가 지호보다 앞에 서 있으므로 예원이 뒤로 한 칸 뛰어넘은 곳에 지호가 있습니다.

○ ○ ● ○ ● ○
예원 지호 1명

● 1) 맨 앞이 남학생이므로 남학생, 여학생을 번갈아 가며 남학생이 3명 될 때까지 ○를 그립니다.

○ ○ ○ ○ ○
남 여 남 여 남

2) 맨 뒤도 남학생이므로 조건을 만족합니다.
줄을 서 있는 여학생은 2명입니다.

● 정우
세연

정답 및 해설 **25**

05 모양 패턴

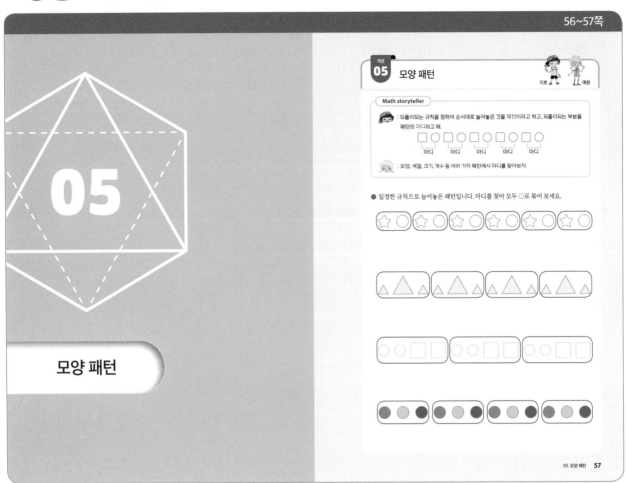

개념 05 모양 패턴

지호 예원

Math storyteller

: 되풀이되는 규칙을 정하여 순서대로 늘어놓은 것을 패턴이라고 하고, 되풀이되는 부분을 패턴의 마디라고 해.

마디 마디 마디 마디

: 모양, 색깔, 크기, 개수 등 여러 가지 패턴에서 마디를 찾아보자.

● 일정한 규칙으로 늘어놓은 패턴입니다. 마디를 찾아 모두 ◯로 묶어 보세요.

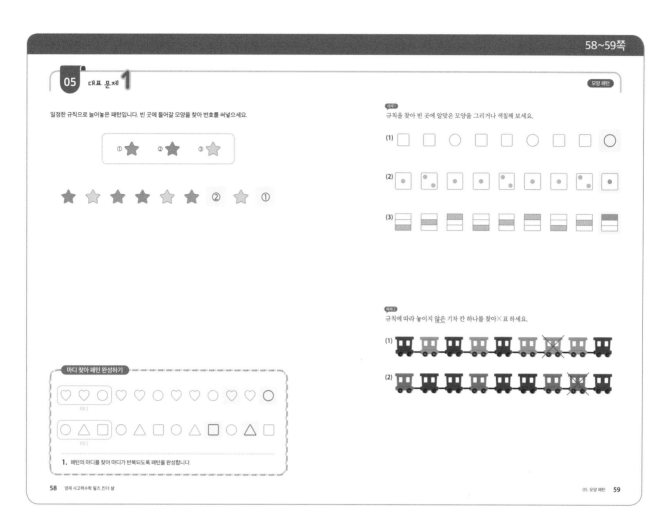

마디

예제 1

(1) ⬜⬜⭕이 반복됩니다.

(2) ⬛⬛⬛이 반복됩니다.

(3) ▤▤▤이 반복됩니다.

예제 2

(1) 🚂🚃이 반복됩니다.

(2) 🚂🚃🚃이 반복됩니다.

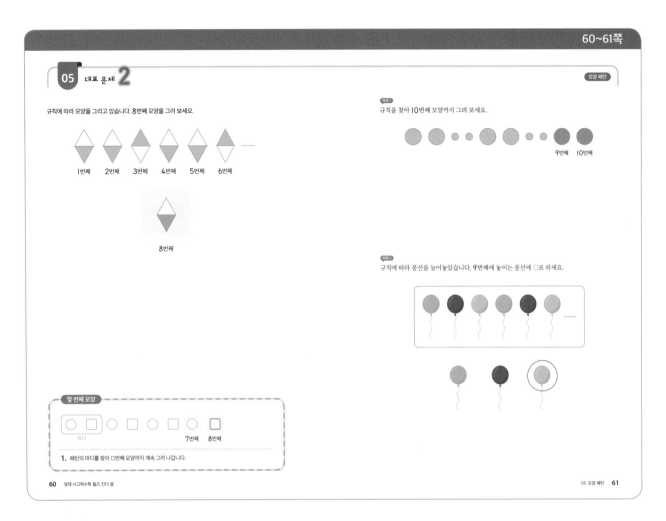

1)  이 반복됩니다.

2) 8번째까지 모양을 그려 나갑니다.

1	2	3	4	5	6	7	8

예제 1

◯◯●●이 반복됩니다.

예제 2

1) ●●◯이 반복됩니다.

2) 9번째까지 모양을 그려 나갑니다.

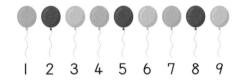

1	2	3	4	5	6	7	8	9

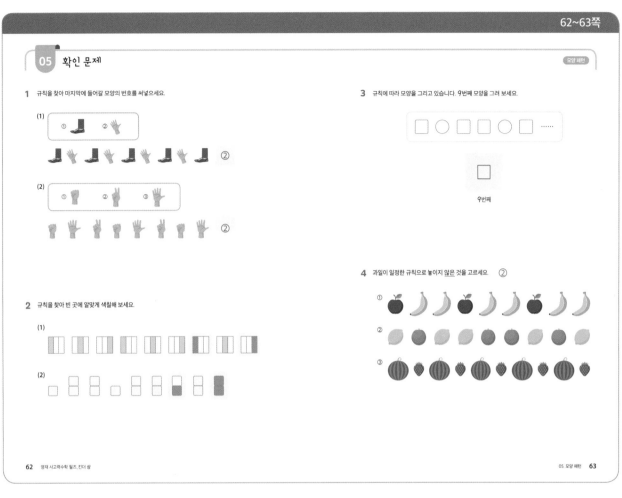

1 (1) 〔🥾 🧤〕 이 반복됩니다.

(2) 〔✊ 🖐 🖐〕 이 반복됩니다.

2 (1) 〔▯▯ ▯▯ ▯▯〕이 반복됩니다.

(2) 〔▫ ▯ ▯〕이 반복됩니다.

3 1) 〔▢〇▢〕이 반복됩니다.

2) 9번째까지 모양을 그려 나갑니다.

〔▢ 〇 ▢ ▢ 〇 ▢ ▢ 〇 ▢〕
  1 2 3 4 5 6 7 8 9

4 ① 🍎 🍌 🍌가 반복됩니다.

② 🍋 🍊 🍋이 반복됩니다.

③ 🍉 🍓가 반복됩니다.

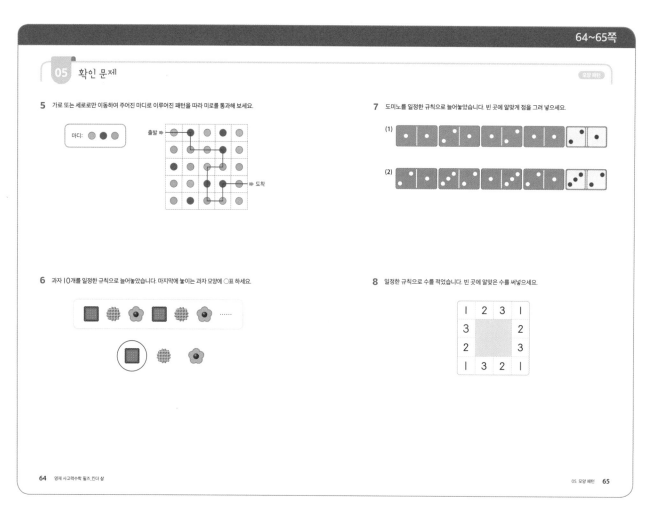

6 1) 이 반복됩니다.

2) 1 2 3 4 5 6 7 8 9 10

7 1) 점 1개, 1개, 2개가 반복됩니다.

2) 섬 2개, 1개, 3개가 반복됩니다.

8 왼쪽 위 칸부터 시계 방향으로 보면 1, 2, 3이 반복됩니다. 시작하는 수와 방향을 바꾸어도 마디만 바뀔 뿐 일정한 규칙으로 수가 있습니다.

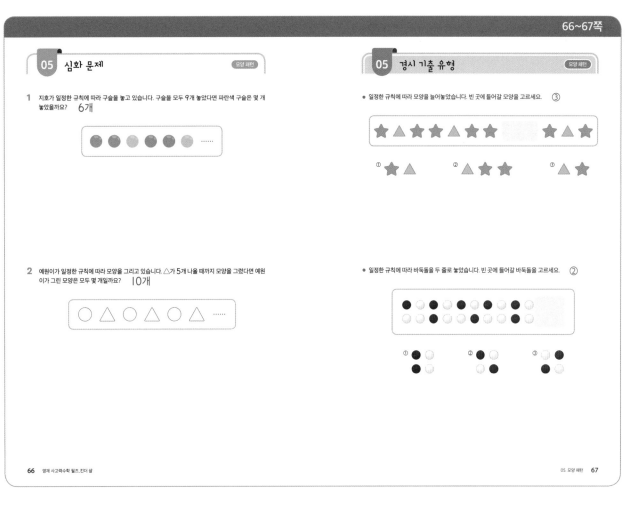

05 심화 문제 모양 패턴

1 지호가 일정한 규칙에 따라 구슬을 놓고 있습니다. 구슬을 모두 9개 놓았다면 파란색 구슬은 몇 개 놓았을까요? **6개**

2 예원이가 일정한 규칙에 따라 모양을 그리고 있습니다. △가 5개 나올 때까지 모양을 그렸다면 예원이가 그린 모양은 모두 몇 개일까요? **10개**

05 경시 기출 유형 모양 패턴

● 일정한 규칙에 따라 모양을 늘어놓았습니다. 빈 곳에 들어갈 모양을 고르세요. **③**

● 일정한 규칙에 따라 바둑돌을 두 줄로 놓았습니다. 빈 곳에 들어갈 바둑돌을 고르세요. **②**

---

1 1) ● ● ● 이 반복됩니다.

2) 규칙에 따라 9개까지 구슬을 그리면

9개 중에서 파란색 구슬은 6개 있습니다.

2 1) ○ △ 이 반복됩니다.

2) 모양을 2개 그릴 때마다 △가 1개씩 나오므로 △가 5개 나오려면 모양을 모두 10개 그려야 합니다.

1 2 3 4 5 6 7 8 9 10

● **1)** ⭐△⭐ 이 반복됩니다.

2) 빈 곳 다음으로 이어지는 모양에 주의하면서 알맞은 모양을 찾습니다.

● **1)** 윗줄은 ● ○ 이 반복됩니다.

2) 아랫줄은 ○ ○ ● 이 반복됩니다.

06 증감 패턴

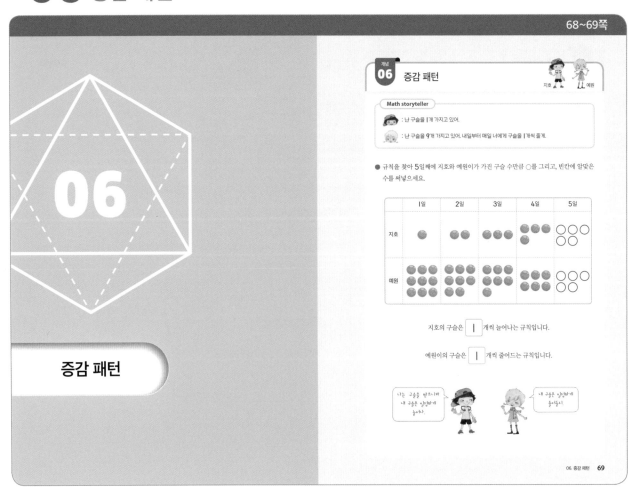

개념 06 증감 패턴

지호   예원

Math storyteller

: 난 구슬을 1개 가지고 있어.

: 난 구슬을 9개 가지고 있어. 내일부터 매일 너에게 구슬을 1개씩 줄게.

● 규칙을 찾아 5일째에 지호와 예원이가 가진 구슬 수만큼 ○를 그리고, 빈칸에 알맞은 수를 써넣으세요.

	1일	2일	3일	4일	5일
지호					
예원					

지호의 구슬은 ☐ 개씩 늘어나는 규칙입니다.

예원이의 구슬은 ☐ 개씩 줄어드는 규칙입니다.

나는 구슬을 받으니까 내 구슬은 일정하게 늘어나.

내 구슬은 일정하게 줄어들지.

06. 증감 패턴 **69**

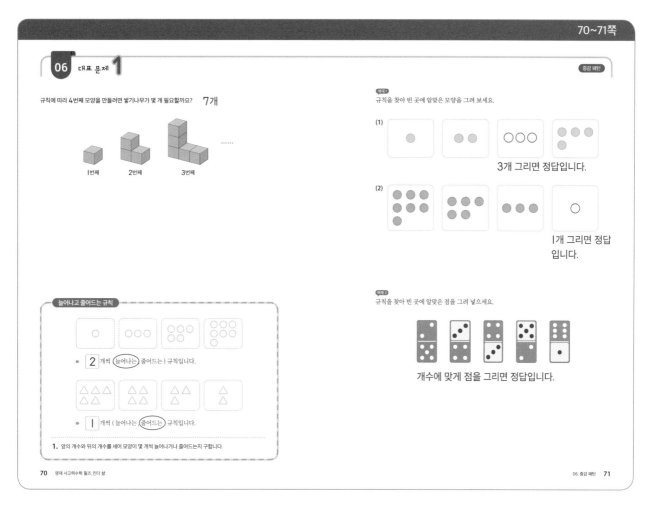

쌓기나무의 개수가 2개씩 늘어납니다.

1, 3, 5, 7……

예제 1

(1) 모양이 1개씩 늘어납니다.
(2) 모양이 2개씩 줄어듭니다.

예제 2

위쪽은 점이 1개씩 늘어나고, 아래쪽은 점이 1개씩 줄어듭니다.

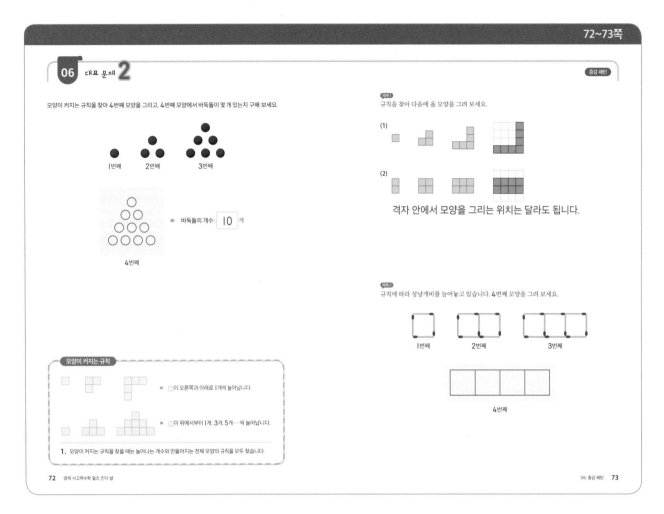

바둑돌이 위에서부터 1개, 2개, 3개······씩 늘어납니다. 4번째 모양은 세모 모양으로 바둑돌을 위에서부터 1개, 2개, 3개, 4개 그립니다.

예제 1

(1) ▨이 왼쪽과 위로 각각 1개씩 늘어납니다.
(2) 가로로 ▨이 1줄씩 늘어납니다.

예제 2

가로로 작은 네모 모양이 1개씩 늘어납니다.

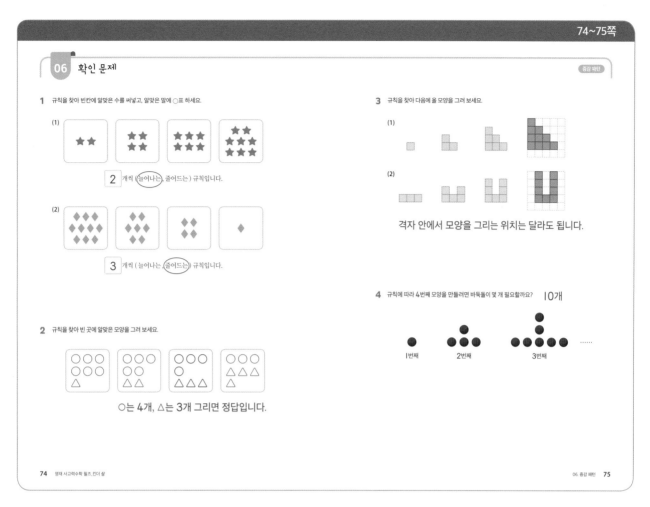

2 ◯은 l개씩 줄어들고, △은 l개씩 늘어납니다.

3 **(1)** ▢이 오른쪽으로 내려가는 계단 모양으로 l개, 2 개, 3개……씩 늘어납니다.

(2) 왼쪽과 오른쪽에 있는 ▢ 위로 ▢이 각각 l개씩 늘어납니다.

4 위, 왼쪽, 오른쪽으로 각각 l개씩 늘어나므로 각 단계마 다 바둑돌은 3개씩 늘어납니다.

4번째

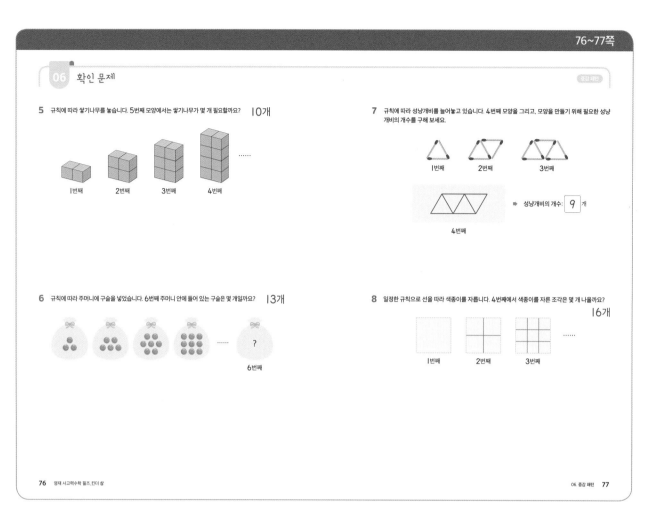

06 확인 문제

5 규칙에 따라 쌓기나무를 놓습니다. 5번째 모양에서는 쌓기나무가 몇 개 필요할까요? **10개**

6 규칙에 따라 주머니에 구슬을 넣었습니다. 6번째 주머니 안에 들어 있는 구슬은 몇 개일까요? **13개**

7 규칙에 따라 성냥개비를 늘어놓고 있습니다. 4번째 모양을 그리고, 모양을 만들기 위해 필요한 성냥개비의 개수를 구해 보세요.

➡ 성냥개비의 개수: **9** 개

8 일정한 규칙으로 선을 따라 색종이를 자릅니다. 4번째에서 색종이를 자른 조각은 몇 개 나올까요? **16개**

---

5 쌓기나무를 2개씩 위로 쌓습니다.

5번째

6 구슬은 2개씩 늘어납니다.
3, 5, 7, 9, 11, 13

7 1) 오른쪽으로 작은 세모 모양이 1개씩 늘어납니다.
2) 성냥개비의 수는 3, 5, 7, 9로 2개씩 늘어납니다.

8 가로와 세로로 각각 자르는 횟수가 1번씩 늘어납니다.

➡ 조각: 16개

4번째

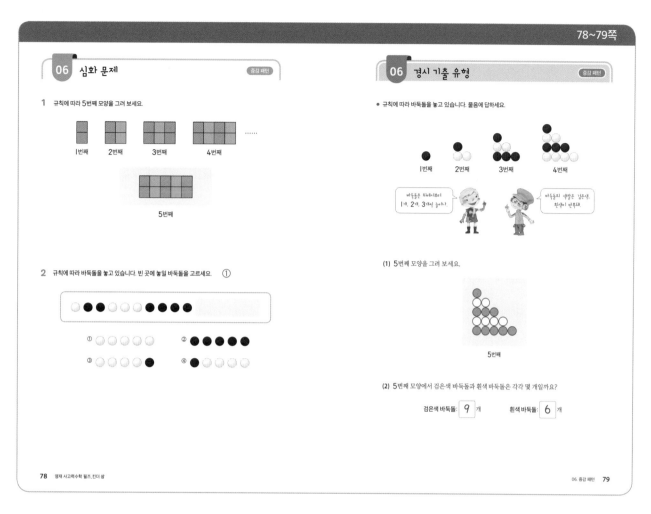

1 **1)** 빨간색과 파란색 네모 모양을 번갈아 그립니다.
2) 네모 모양은 2개씩 늘어납니다.

2 **1)** 흰색과 검은색을 번갈아 놓습니다.
2) 1개, 2개, 3개, 4개······씩 놓습니다.

● **(1)** 바둑돌은 위에서부터 오른쪽으로 내려가는 계단 모양으로 1개, 2개, 3개······씩 늘어나고, 검은색과 흰색이 반복됩니다. 따라서 5번째 모양은 4번째 모양에서 아래쪽에 검은색 바둑돌 5개를 더 그린 모양입니다.

07 수 배열표

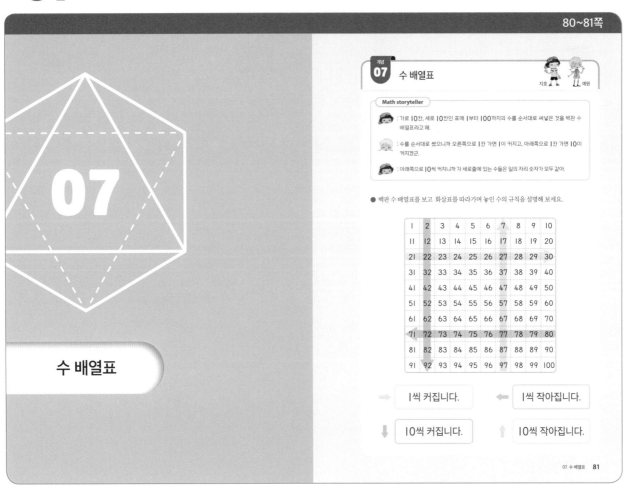

07

수 배열표

---

1) 백판 수 배열표는 오른쪽으로 한 칸씩 갈수록 1씩 커지고, 왼쪽으로 한 칸씩 갈수록 1씩 작아집니다.

2) 아래로 한 칸씩 갈수록 10씩 커지고, 위로 한 칸씩 갈수록 10씩 작아집니다.

07 대표 문제 **1**

가로 10칸, 세로 10칸인 표에 1부터 100까지의 수를 순서대로 써넣은 것을 백판 수 배열표라고 합니다.
다음은 백판 수 배열표의 일부입니다. 색칠된 칸에 알맞은 수를 써넣으세요.

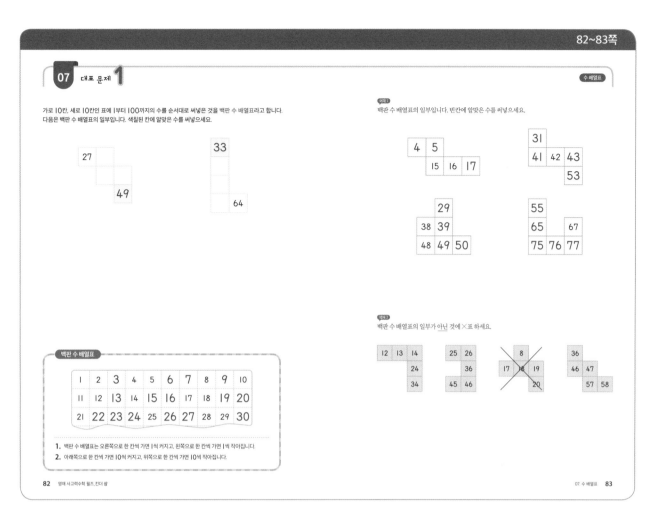

백판 수 배열표의 일부입니다. 빈칸에 알맞은 수를 써넣으세요.

백판 수 배열표의 일부가 <u>아닌</u> 것에 ×표 하세요.

백판 수 배열표

1	2	3	4	5	6	7	8	9	10
11	12	13	14	15	16	17	18	19	20
21	22	23	24	25	26	27	28	29	30

1. 백판 수 배열표는 오른쪽으로 한 칸씩 가면 1씩 커지고, 왼쪽으로 한 칸씩 가면 1씩 작아집니다.
2. 아래쪽으로 한 칸씩 가면 10씩 커지고, 위쪽으로 한 칸씩 가면 10씩 작아집니다.

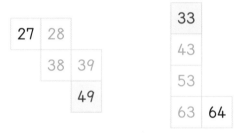

예제 2

19 아래는 19보다 10 큰 수인 29가 들어가야 합니다.

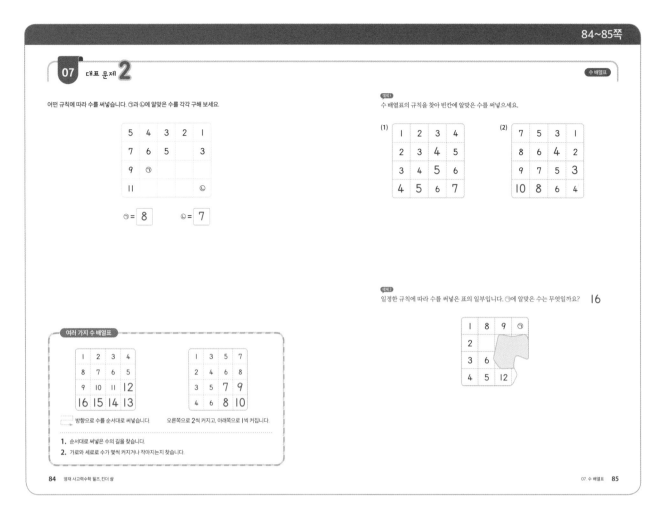

여러 가지 수 배열표

방향으로 수를 순서대로 써넣습니다.   오른쪽으로 2씩 커지고, 아래쪽으로 I씩 커집니다.

1. 순서대로 써넣은 수의 길을 찾습니다.
2. 가로와 세로로 수가 몇씩 커지거나 작아지는지 찾습니다.

오른쪽으로 I씩 작아지고, 아래쪽으로 2씩 커집니다.

5	4	3	2	1
7	6	5	4	3
9	8	7	6	5
11	10	9	8	7

예제 1

(1) 오른쪽으로 I씩 커지고, 아래쪽으로 I씩 커집니다.
(2) 오른쪽으로 2씩 작아지고, 아래쪽으로 I씩 커집니다.

예제 2

⌐┘↑ 방향으로 I부터 순서대로 써넣습니다.

1	8	9	16
2	7	10	15
3	6	11	14
4	5	12	13

07 확인 문제

1 백판 수 배열표입니다. 물음에 답하세요.

1	2	3	4	5	6	7	8	9	10
11	12	13	14	15	16	17	18	19	20
21	22	23	24	25	26	27	28	29	30
31	32	33			36	37	38	39	40
	43			46	47	48			
			55	56	57				
		64	65	66	67				
	73	74	75	76	77				
				87					

(1) 43에서 왼쪽으로 2칸 간 곳에 있는 수는 무엇일까요?   **41**

(2) 64에서 위로 3칸 간 곳에 있는 수는 무엇일까요?   **34**

(3) 6에서 오른쪽으로 3칸, 아래로 4칸 간 곳에 있는 수는 무엇일까요?   **49**

(4) 87에서 위로 2칸, 오른쪽으로 3칸 간 곳에 있는 수는 무엇일까요?   **70**

2 백판 수 배열표의 일부입니다. 주어진 수가 들어가는 칸에 색칠해 보세요.

(1)   **35**

3	4	5	6
13	14	15	16
23	24		

(2)   **26**

3 어떤 규칙에 따라 수를 써넣습니다. 수 배열표를 완성했을 때 7은 몇 개 있을까요?   **2개**

1	2	3	4
3	4	5	
5	6		
	8		

1

1	2	3	4	5	6 →	7 →	8 →	9 ↓	10
11	12	13	14	15	16	17	18	19 ↓	20
21	22	23	24	25	26	27	28	29 ↓	30
31	32	33	(2) 34		36	37	38	39 ↓	40
(1) 41 ←	← 43				46	47	48	(3) 49	
			55	56	57				
		64	65	66	67 →	→	→ (4) 70		
	73	74	75	76	77				
				87					

2 (1)

3	4	5	6
13	14	15	16
23	24	25	
	34	35	

(2)

26	27		
36	37	38	39
	47	48	49
	57		

3 오른쪽으로 1씩 커지고, 아래쪽으로 2씩 커집니다

1	2	3	4
3	4	5	6
5	6	⑦	8
⑦	8	9	10

07 확인 문제

4 어떤 규칙에 따라 수를 써넣은 것입니다. 색칠된 칸에 들어가는 수는 무엇일까요? **23**

1	2	3		5
16			19	6
				7
14			21	
13		11	10	9

6 오른쪽으로 한 칸 갈 때 2씩 커지고, 아래로 한 칸 갈 때 1씩 커지는 규칙으로 수를 넣으려고 합니다. ㉠에 알맞은 수는 무엇일까요? **8**

5 다음은 백판 수 배열표의 일부입니다. 다람쥐와 강아지가 연결된 칸을 따라 동시에 한 칸씩 움직일 때, 다람쥐와 강아지가 만나는 칸에 적힌 수는 무엇일까요? **15**

7 다음은 백판 수 배열표의 일부입니다. 이 수 배열표에서 가장 작은 수가 3일 때, 수 배열표를 완성해 보세요.

3		5
13	14	15

---

4 왼쪽 위 칸부터 시계 방향으로 돌면서 1부터 순서대로 쓴 규칙입니다.

1	2	3	4	5
16	17	18	19	6
15	24	25	20	7
14	**23**	22	21	8
13	12	11	10	9

5 연결된 칸을 따라 동시에 한 칸씩 움직였으므로 다람쥐와 강아지가 5칸씩 가면 만납니다.

1	2	3	4	5

15	16	17	18	19	20

6

1	3	
4		8
5	7	9

보이지 않는 칸을 그려 오른쪽으로 3칸, 아래로 1칸 가도 결과는 같습니다.

1	3	5	7
			8

7 가장 작은 수 3은 왼쪽 위 칸에 들어갑니다.

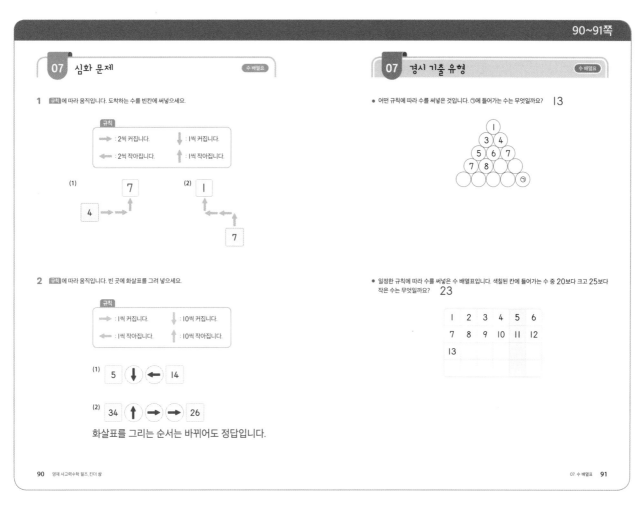

1 (1)

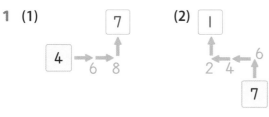

(2)

2 (1) 10이 1번 커지고, 1이 1번 작아졌습니다.
　 (2) 10이 1번 작아지고, 1이 2번 커졌습니다.

● ↗ 방향으로 2씩 커집니다.
　 ↘ 방향으로 3씩 커집니다.
　 → 방향으로 1씩 커집니다.

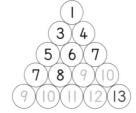

● ⇉ 방향으로 1부터 순서대로 써넣습니다.

1	2	3	4	5	6
7	8	9	10	11	12
13	14	15	16	17	18
19	20	21	22	23	24

수를 한 번씩 넣기

1. 수가 모두 다르도록 가르기를 할 때는 수를 바로 넣을 수 있는 곳부터 찾아 수를 써 넣습니다.

2. 작은 수를 가르기 하는 방법의 가짓수가 적으므로 작은 수부터 가르기 하고, 이미 사용한 수를 제외하면서 가르기를 완성합니다.

1. ◯ 안의 수가 모두 다르도록 가르기를 해 보세요.

```
        9                      또는        9
      6   3                            6   3
    5   1   2                        4   2   1
```

2. 주어진 수를 한 번씩 모두 사용하여 모으기를 해 보세요.

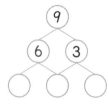

```
      2    1    6
         3    7
           10
```

피라미드 꼭대기의 수

1. 두 수를 모은 수를 선으로 연결된 위쪽 칸에 써넣어 수 피라미드를 만들 때 아래쪽 세 칸 중 가운데 칸에 들어가는 수는 두 번 더해집니다.

2. 가운데 칸에 작은 수가 들어가면 꼭대기의 수가 작아지고, 가운데 칸에 큰 수가 들어가면 꼭대기의 수가 커집니다.

```
      7              8              9
    3   4          3   5          4   5
  2   1   3      1   2   3      1   3   2
```

1. 1, 4, 5를 가장 아래쪽 칸에 쓰고, 두 수를 모은 수를 선으로 연결된 위쪽 칸에 써넣습니다. 꼭대기의 색칠된 칸의 수가 가장 클 때와 가장 작을 때의 수 피라미드를 각각 만들어 보세요.

꼭대기의 수가 가장 클 때

```
      15
    6    9
  1    5    4
```

4, 5, 1 순서로 수를 쓰고 모으기를 해도 됩니다.

꼭대기의 수가 가장 작을 때

```
      11
    5    6
  4    1    5
```

5, 1, 4 순서로 수를 쓰고 모으기를 해도 됩니다.

---

1 1) 9를 (6, 3)으로 가르기 합니다.

```
      9
    6   3
  ◯   ◯   ◯
```

2) 6과 3 중 작은 수인 3은 (1, 2), (2, 1)로 가르기 할 수 있고, (1, 2)로 가르기 하면 6을 (5, 1), (2, 1)로 가르기 하면 6을 (4, 2)로 가르기 할 수 있습니다.

2 1) 가장 큰 수인 10을 가장 아래에 넣습니다.

2) (3, 7)을 모으기 하면 10입니다.

3) 남은 세 수를 가장 위쪽 칸에 알맞게 넣습니다.

1 1) 1, 4, 5 중 가장 큰 수인 5를 가운데 칸에 써넣으면 꼭대기의 수가 커집니다.

2) 1, 4, 5 중 가장 작은 수인 1을 가운데 칸에 써넣으면 꼭대기의 수가 작아집니다.

2 덧셈식과 뺄셈식

| 합과 차가 같은 식 |

1. 덧셈식에서 더해지는 수가 1씩 작아지고 더하는 수가 1씩 커지면 결과는 변하지 않습니다.

2. 뺄셈식에서 빼지는 수와 빼는 수 모두 1씩 커지거나 작아지면 결과는 변하지 않습니다.

1. 주어진 수 카드 중 2장을 사용하여 차가 4인 덧셈식을 모두 만들어 보세요.

$4-0=4$ $5-1=4$

$6-2=4$ $7-3=4$

2. 주어진 수 카드 중 서로 다른 2장을 사용하여 합이 10인 덧셈식을 만듭니다. 사용할 수 없는 수 카드는 무엇일까요? **5**

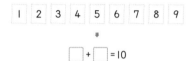

| 합이 크고 작은 식, 차가 크고 작은 식 |

1. 서로 다른 두 수로 만들 수 있는 합이 가장 큰 식은 (가장 큰 수) + (두 번째 큰 수)이고, 합이 가장 작은 식은 (가장 작은 수) + (두 번째 작은 수)입니다.

2. 서로 다른 두 수로 만들 수 있는 차가 가장 큰 식은 (가장 큰 수) - (가장 작은 수)이고, 차가 가장 작은 식은 가장 가까운 두 수의 차입니다.

합이 가장 큰 식: $8 + 5 = 13$ 차가 가장 큰 식: $8 - 2 = 6$

합이 가장 작은 식: $2 + 3 = 5$ 차가 가장 작은 식: $3 - 2 = 1$

1. 2, 4, 5, 9 중 서로 다른 두 수를 사용하여 합이 가장 큰 식과 합이 가장 작은 식을 만들어 보세요.

또는 $9 + 5 = 14$

| 2 | 4 | 5 | 9 |

합이 가장 큰 식: $5 + 9 = 14$

합이 가장 작은 식: $2 + 4 = 6$

또는 $4 + 2 = 6$

2. 1, 3, 4, 8 중 서로 다른 두 수를 사용하여 차가 가장 큰 식과 차가 가장 작은 식을 만들어 보세요.

| 1 | 3 | 4 | 8 |

차가 가장 큰 식: $8 - 1 = 7$

차가 가장 작은 식: $4 - 3 = 1$

---

1 **1)** 빼지는 수에 넣을 수 있는 가장 작은 수인 4를 넣어 뺄셈식을 만듭니다. → $4 - 0 = 4$

2) 빼지는 수와 빼는 수를 각각 1씩 크게 하면서 만들 수 있는 뺄셈식을 모두 만듭니다. 차가 4인 뺄셈식은 모두 4개 만들 수 있습니다.

2 **1)** $1 + 9 = 10$ $4 + 6 = 10$ $8 + 2 = 10$
$2 + 8 = 10$ $6 + 4 = 10$ $9 + 1 = 10$
$3 + 7 = 10$ $7 + 3 = 10$

2) 5는 같은 두 수를 더해야 10이 되므로 사용할 수 없습니다.

1 **1)** 가장 큰 수와 두 번째 큰 수를 더하면 합이 가장 커집니다. → $5 + 9 = 14$

2) 가장 작은 수와 두 번째 작은 수를 더하면 합이 가장 작아집니다. → $2 + 4 = 6$

2 **1)** 가장 큰 수에서 가장 작은 수를 빼면 차가 가장 커집니다. → $8 - 1 = 7$

2) 가장 가까운 두 수의 차를 구하면 차가 가장 작아집니다. → $4 - 3 = 1$

리뷰 **3** 목표수 만들기

목표수 만들기

| 주어진 수를 써넣어 목표수 만들기 |

1. 계산 결과 1은 앞의 수 3보다 2가 더 작습니다.
2. 주어진 식에서 **빼는** 수가 2 더 크도록 수를 써넣습니다.

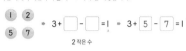

3 + ☐ - ☐ = 1 ● 3 + 5 - 7 = 1
2 작은 수

1. 주어진 수 중 2개를 사용하여 식을 완성해 보세요.

2 3 5 8

4 + 8 - 5 = 7

4 - 3 + 2 = 3

2. 빈 곳에 + 또는 -를 써넣어 식을 완성해 보세요.

6 + 4 - 2 = 8

6 - 4 + 2 = 4

| 수 만들기 |

1. 1개, 2개 또는 3개의 수와 +, -를 사용하여 여러 가지 목표수를 만들 수 있습니다.

1, 2, 5와 +, -로 수 만들기

수	식	수	식
1	1	5	5
2	2	6	5 + 1 = 6
3	5 - 2 = 3	7	5 + 2 = 7
4	5 - 1 = 4	8	5 + 2 + 1 = 8

1. 1, 3, 5와 +, -를 사용하여 1부터 9까지의 수를 만들어 보세요. (단, 하나의 식에서 +, -는 여러 번 사용할 수 있지만 같은 수를 여러 번 사용할 수는 없습니다.)

1 3 5 + -

수	식	수	식
1	1	6	5 + 1 = 6
2	3 - 1 = 2 또는 5 - 3 = 2	7	5 + 3 - 1 = 7
3	3	8	5 + 3 = 8
4	3 + 1 = 4	9	5 + 3 + 1 = 9
5	5		

계산식에서 결과만 같으면 수와 기호의
순서는 바꾸어도 정답입니다.

1 1) 7은 4보다 3 큰 수이므로 주어진 식에서 더하는 수가 빼는 수보다 3 더 커야 합니다. 따라서 3 차이 나는 5, 8을 빈칸에 알맞게 써넣습니다.

4 + 8 - 5 = 7
큰 수 작은 수

2) 3은 4보다 1 작은 수이므로 주어진 식에서 빼는 수가 더하는 수보다 1 더 커야 합니다. 따라서 1 차이 나는 2, 3을 빈칸에 알맞게 써넣습니다.

4 - 3 + 2 = 3
큰 수 작은 수

2 1) 8은 6보다 크므로 더하는 수를 크게 합니다.
2) 4는 6보다 작으므로 빼는 수를 크게 합니다.

1 1) 하나의 수로 만들 수 있는 수: 1, 3, 5
2) 두 수로 만들 수 있는 수:
3 - 1 = 2, 5 - 3 = 2, 3 + 1 = 4,
5 + 1 = 6, 5 + 3 = 8
3) 세 수로 만들 수 있는 수:
5 + 3 - 1 = 7, 5 + 3 + 1 = 9

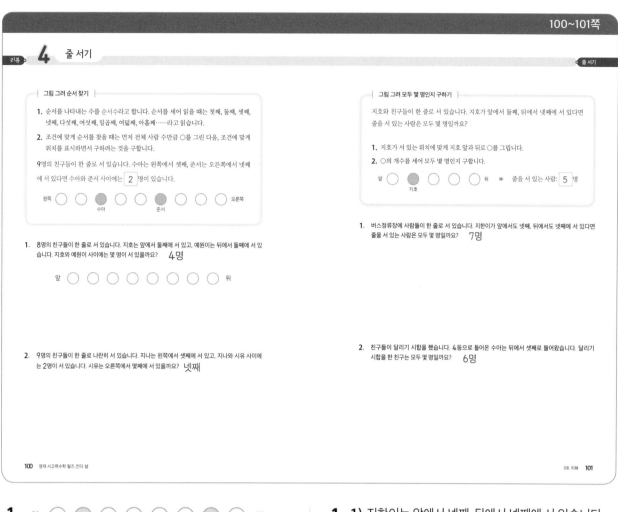

1

앞 ◯ ⬤ ◯ ◯ ◯ ◯ ⬤ ◯ 뒤
지호 　 4명 　 예원

2 1) 모두 9명이므로 ○ 9개를 그립니다.
　　2) 조건에 맞게 지나와 시유의 위치를 표시합니다.

◯ ◯ ⬤ ◯ ◯ ⬤ ◯ ◯ ◯
　　지나　　　　시유

　　3) 시유는 오른쪽에서 넷째에 서 있습니다.

1 1) 지한이는 앞에서 넷째, 뒤에서 넷째에 서 있습니다.

첫째 둘째 셋째 넷째
◯ ◯ ◯ 지한 ◯ ◯ ◯
　　　　넷째 셋째 둘째 첫째

　　2) ○가 모두 7개이므로 줄을 서 있는 사람은 모두 7명입니다.

2 1) 수아는 4등(앞에서 넷째), 뒤에서 셋째로 들어왔습니다.

1등 2등 3등 4등
◯ ◯ ◯ 수아 ◯ ◯
　　　　셋째 둘째 첫째

　　2) ○가 모두 6개이므로 달리기 시합을 한 사람은 모두 6명입니다.

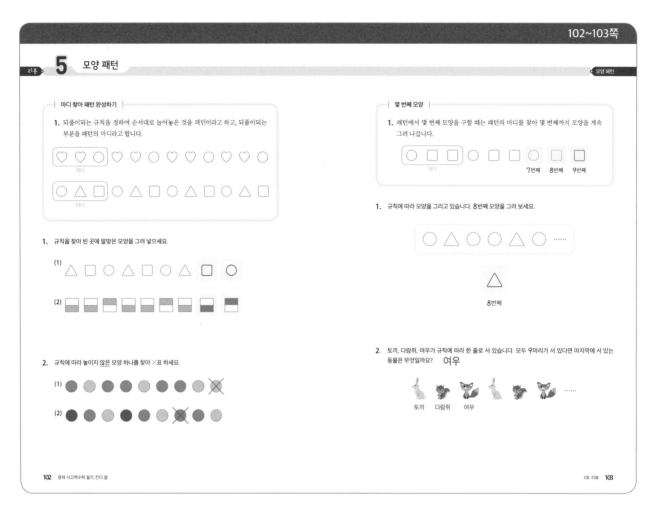

1 (1) △□○이 반복됩니다.

(2) 이 반복됩니다.

2 (1) ●●●이 반복됩니다.

(2) ●●●이 반복됩니다.

1 1) ○△○이 반복됩니다.

2) 8번째까지 모양을 그려 나갑니다.

2 1) 🐰🐿️🦊가 반복됩니다.

2)

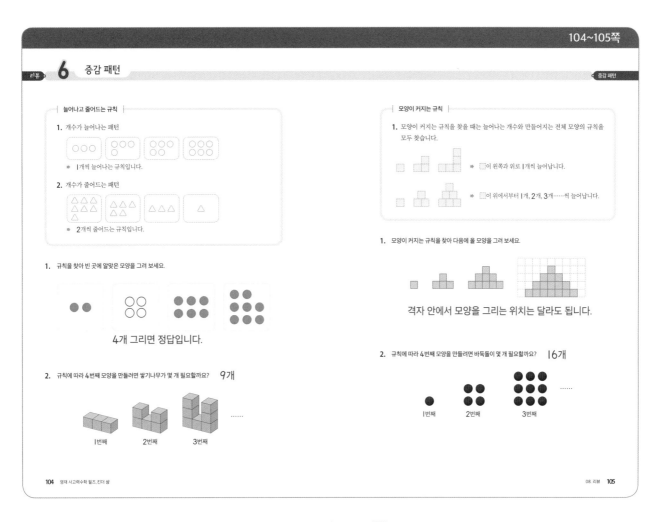

1 모양이 2개씩 늘어납니다.

2 쌓기나무의 개수가 2개씩 늘어납니다.
3, 5, 7, 9

1 ▨이 위에서부터 1개, 3개, 5개……씩 늘어납니다.

2 가로와 세로로 바둑돌이 1줄씩 늘어납니다.

4번째

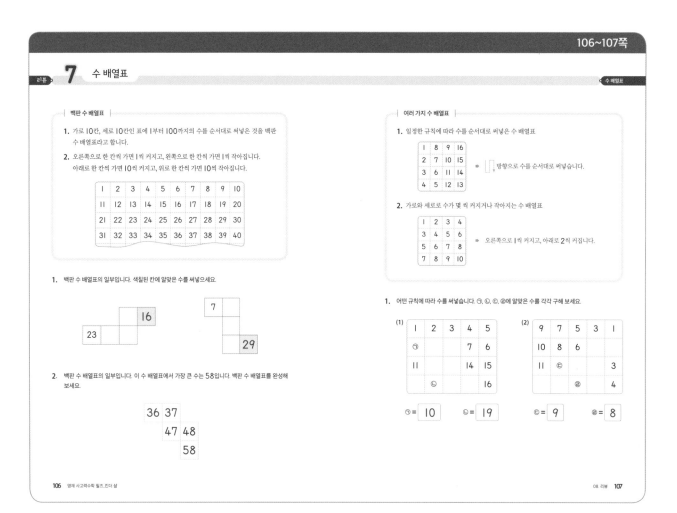

1

2 가장 큰 수인 58은 가장 오른쪽 아래 칸에 들어갑니다.

1 (1) ⬜→ 방향으로 1부터 순서대로 써넣습니다.

1	2	3	4	5
10	9	8	7	6
11	12	13	14	15
20	19	18	17	16

(2) 오른쪽으로 2씩 작아지고, 아래로 1씩 커집니다.

9	7	5	3	1
10	8	6	4	2
11	9	7	5	3
12	10	8	6	4

"

자신 위로 올라서
세상을 꽉 잡아라

"